LA FASCINATION
DU PIRE

FLORIAN
Zeller

LA FASCINATION DU PIRE

ROMAN

Avertissement

Ce livre est une fiction : la plupart de ce qui y est dit est faux ; le reste, par définition, ne l'est pas non plus.

1.

Prendre l'avion

Au moment où le réveil a sonné, j'ai regretté d'avoir accepté ce voyage. Il faisait encore nuit, et je n'avais pratiquement pas dormi. J'aurais dû me coucher plus tôt la veille, me suis-je dit. Mais ce n'était pas mon genre. Et puis je pourrais toujours dormir dans l'avion.

Je me suis levé pour aller boire un café. J'ai regardé par la fenêtre de la cuisine. Il était cinq heures, mais Paris ne s'était pas encore éveillé. Jeanne non plus. Une fois habillé, je suis allé la regarder dormir. Je ne sais pas pourquoi, je l'ai toujours trouvée plus belle le matin. Son corps comme un refuge contre le froid de l'aube. Je lui ai écrit un mot pour lui dire qu'elle me manquerait. C'est parfois très long, une semaine. Et puis, j'avais peur de ne jamais plus la revoir. C'est ridicule, j'en conviens, mais c'est ainsi : depuis la mort de mes parents, je ne pouvais plus ignorer que tout pouvait arriver à tout moment. Je dirais même que, d'une certaine façon, je guettais sans relâche ma propre mort. En lui disant qu'elle me manquerait, il me semble que je cherchais en réalité à lui dire adieu. J'étais un peu ému, en fait, mais d'une façon excessive et déplaisante. Ça ne me réussissait pas de me réveiller si tôt. Après tout, ce n'était qu'un voyage de quelques jours. J'ai jeté le mot à la poubelle après l'avoir déchiré, et j'ai fermé ma valise.

L'ambassade française d'Égypte m'avait invité au Caire pour faire une conférence dans le cadre d'une espèce de salon du livre. Au téléphone, l'attaché culturel m'avait annoncé que Martin Millet ferait le voyage avec moi. (Il s'agissait d'un écrivain suisse assez célèbre dont j'avais lu un des livres un an auparavant : je me souvenais vaguement d'une succession de fantasmes violents, monstrueux parfois, dont l'ambition était de décrire la misère sexuelle dans une société de marché, et au passage, je crois, la sienne.) J'avais reçu mon billet d'avion par la poste, ainsi qu'un ordre de mission. En l'occurrence, la mission consistait à bavarder un peu sur le thème de la « nouvelle génération romanesque française » et, le reste du temps, à profiter du séjour. Dans le taxi qui devait me conduire jusqu'à Roissy, je me suis dit qu'à l'exception de ce réveil nocturne, l'ensemble promettait d'être plutôt agréable, et qu'il fallait que je perde cette habitude de toujours me plaindre en me réveillant.

Quelques jours auparavant, un avion égyptien s'était abîmé dans la mer Rouge. Il avait décollé à Charm el Cheikh ; tous les passagers avaient péri dans la catastrophe. Ils étaient pour la plupart français et revenaient d'une semaine de vacances. On ne connaissait pas encore précisément les raisons de cet accident. On avait d'abord pensé à un attentat. Puis les deux boîtes noires avaient été récupérées grâce à l'intervention de robots capables de descendre à plus de 1000 mètres de profondeur. D'après ce que j'avais lu la veille, l'enregistrement écartait l'hypothèse terroriste. Il s'agissait donc d'un « accident classique » ; c'était pour (presque) tout le monde un vrai soulagement.

L'imam de la mosquée, le cheikh Ibrahim al-Saleh, dans un élan de solidarité, avait déclaré que cette tragédie « n'avait pas seulement affecté les familles des victimes, mais tous les Égyptiens ». Il est vrai que ça ne les arrangeait pas trop, eux non plus. Ce genre d'accident fait généralement chuter le tourisme, et l'Égypte, en crise économique depuis plusieurs années, n'en avait vraiment pas besoin. D'autant plus que Charm el Cheikh est une station balnéaire très prisée des Occidentaux. En témoigne la floraison d'hôtels modernes, de casinos, de villages touristiques et de centres commerciaux qui font de la ville, avec ses néons, une sorte de Las Vegas de l'Orient.

Les agences de voyage proposent généralement deux types de séjours en Égypte. Le premier (pour lequel avaient opté toutes les victimes de l'accident) se passe sur les bords de la mer Rouge. « La réserve de Ras Mohammed offre une plongée classée parmi les sept plus belles au monde : le tombant de Shark reef. » L'intérêt de ce voyage se réduit à peu près à ça : voir évoluer une multitude de poissons tropicaux de toutes les couleurs. Le second est un itinéraire au cœur de « l'Égypte des Pharaons » ; il s'agit en général d'une croisière sur le Nil. En une dizaine de jours, le touriste visite Le Caire (pour son musée et ses pyramides), Louxor (pour ses différents temples et sa Vallée des Rois) et enfin Assouan (pour son célèbre barrage et son temple d'Abou Simbel). Cette deuxième formule a connu un très grand succès jusqu'au mois de novembre 1997 au cours duquel un commando islamiste massacra, un matin, tous les touristes dans le temple d'Hatshepsout, à Louxor – un endroit magnifique par ailleurs.

Depuis plusieurs années, j'avais pas mal voyagé dans les pays musulmans, notamment au Moyen-Orient. Ma rencontre avec une Jordanienne m'avait donné le goût de cette région. En revanche, je n'étais allé qu'une seule fois en Égypte. C'était en 1998, avec mes parents. Comme beaucoup de touristes, nous avions bénéficié des prix très avantageux pratiqués par les agences de voyage après l'attentat de Louxor. À l'époque, puisque la demande avait dramatiquement chuté, on pouvait facilement faire une croisière sur le Nil pour moins de deux mille francs. Ce fut d'ailleurs ainsi, en cassant les prix de façon drastique, que le pays parvint peu à peu à se remettre des conséquences de cet attentat. Mais pour pratiquer ce genre de tarifs, me disais-je ce matin-là en arrivant à Roissy, il fallait bien économiser quelque part, c'est-à-dire diminuer les coûts variables, parmi lesquels, outre la qualité du service, figurait la sécurité. Or tout portait à croire que l'accident de Charm el Cheikh était dû à une défaillance technique, et plus précisément à un manque de contrôle de l'appareil. En d'autres termes, cette catastrophe aérienne était une conséquence indirecte des attentats islamistes. À cet égard, l'imam de la mosquée avait bien raison : cette tragédie n'affectait pas seulement les familles des victimes.

Il faisait toujours nuit quand le taxi m'a déposé devant l'aérogare. Je me suis dit que ce n'était pas très malin de ressasser tout ça juste avant de prendre un avion. C'était se faire peur inutilement. Il était préférable de penser à des choses positives. Mais lesquelles ? Les accidents n'arrivent jamais les uns derrière les autres, c'est connu. À cet égard, c'était le moment idéal pour partir en Égypte. Il ne pourrait finalement rien m'arriver. Voilà ce que je me disais pour me rassurer.

Je suis allé m'acheter quelques journaux avant de me diriger vers l'enregistrement. On m'avait demandé de venir deux heures en avance. Depuis le 11 septembre, les contrôles étaient interminables. Je savais évidemment que l'Égypte était un pays à majorité musulmane, mais j'étais tout de même assez surpris de constater que, parmi la file d'attente, j'étais à peu près le seul à ne pas porter de djellaba. J'ai avalé ma salive. Toutes les femmes portaient le voile. De nos jours, c'est regrettable, les djellabas, les voiles et les avions donnent de drôles d'idées.

Soudain j'ai senti une main se poser sur mon épaule. J'ai sursauté. Je me suis retourné : c'était Martin Millet. Je l'avais déjà vu en photo, j'avais donc déjà noté la forme un peu curieuse de son visage, sa ressemblance très nette avec un animal domestique écrasé, mais je me l'étais imaginé plus fort et plus grand. Il devait avoir autour de trente ans. On s'est serré la main. Il avait l'air assez content d'être là. Tout souriant. C'était la première fois qu'il se rendait en Égypte. Et sans doute la dernière. Mais ça, il ne le savait pas encore.

— Et toi, me demanda-t-il avec un enthousiasme qui me paraissait exagéré, tu y es déjà allé ?

— Une fois, oui.

— Et alors ?

En réalité, j'avais parfaitement associé ce pays à mes parents, puisque c'était avec eux que j'y étais allé – notre dernier voyage avant leur accident. Mais je m'étais promis d'être fort et de ne pas tomber dans la mélancolie : cinq ans avaient déjà passé, et je ne pouvais pas revenir éternellement sur leur disparition. J'ai préféré dire que je ne m'en souvenais pas précisément – ce qui, au demeurant, n'était pas entièrement faux.

— C'est un peu dommage de ne pas pouvoir aller vers le sud. On m'a dit que c'était surtout Louxor qu'il fallait voir...

Il est vrai qu'avec les conférences prévues, il était difficile d'envisager de quitter Le Caire. Ou peut-être pour une journée. On m'avait dit que la bibliothèque d'Alexandrie, par exemple, était quelque chose « à voir ». Mais rien ne donne moins envie d'aller voir quelque chose que lorsque cette chose est justement

« à voir ». Les choses « à voir » n'ont généralement qu'un intérêt très limité. À titre d'exemple, à Paris, l'Arc de Triomphe est une chose « à voir ».

— Ouais, répondis-je alors pour préciser ma pensée…

Ça ne me déplaisait pas, au fond, de rester au Caire. Pour moi, c'est peut-être la meilleure façon de comprendre un pays : se promener dans la capitale sans but précis. D'après mes souvenirs, Le Caire était une ville gigantesque, épuisante et poussiéreuse, mais de laquelle se dégageait une énergie assez fantastique. J'avais initialement prévu d'aller au monastère orthodoxe de Sainte-Catherine, dans le Sinaï, mais après avoir consulté une carte, j'ai renoncé à ce projet. Pour faire l'aller-retour dans la journée, il aurait fallu prendre un vol intérieur sur une compagnie improbable. Et depuis Charm el Cheikh, je n'en avais pas tellement envie. Après tout, je serais aussi bien dans la piscine de l'hôtel, au Caire.

Je mis un certain temps à comprendre pourquoi la majorité des passagers ne ressemblaient pas à des Égyptiens : comme c'était le cas une fois par semaine, l'avion faisait d'abord escale au Caire avant de repartir vers Djedda, en Arabie Saoudite. « C'est bien notre veine », me dit alors Martin. Tous ces types étaient en réalité des pèlerins qui se rendaient à La Mecque. Je me suis alors souvenu que chaque année des dizaines, parfois des centaines d'entre eux, mouraient piétinés parmi la foule illuminée. Mais prendre l'avion dans ces conditions est une expérience intéressante : cela permet, par exemple, d'apprécier rétrospectivement la sérénité de sa vie quotidienne.

Martin était assis à ma droite. Il essayait déjà de faire fonctionner le petit écran incrusté dans le siège d'en face. À ma gauche, un homme se plaignait auprès d'une hôtesse de l'air parce que sa femme, voilée de haut en bas, n'était pas assise à sa droite (c'est-à-dire à ma place) ; il disait qu'il ne tolérerait pas qu'un homme s'installe à côté d'elle. Il y avait quelque chose d'assez contradictoire dans le fait de prendre un avion et de s'insurger contre la possibilité d'avoir un voisin. On aurait dû lui suggérer d'acheter un avion privé. Cet homme avait un très beau regard. De longs cils qui lui donnaient un air délicat, je dirais même : féminin. Qu'y avait-il de si redoutable pour lui ? Doutait-il à ce point de son pouvoir sur elle ? L'hôtesse n'avait pas l'air surprise de sa réaction. C'était une professionnelle. Elle disait qu'elle comprenait, même si, j'en suis persuadé, elle ne comprenait pas plus que moi. « Il faut comprendre, semblait vouloir me dire son regard, c'est culturel. Ce serait une offense pour lui si on mettait un type à côté de sa femme… »

— Une offense à quoi ? aurais-je pu demander (mais je n'avais pas du tout envie de compliquer la situation).

— À sa pudeur, m'aurait-on répondu.

Encore faudrait-il que la femme en question soit un objet potentiel de désir, me dit alors Martin à l'oreille. Ce qui n'était manifestement pas le cas : elle ressemblait plutôt à une masse indistincte et boulotte. On s'en rendait compte même à travers son voile. L'homme qui se serait assis à côté d'elle, assurait-il, ne l'aurait même pas regardée. Mais bon, si c'était culturel… Il fallut donc que chacun change de place pour que la pudeur soit préservée. Et enfin l'avion put décoller.

Martin s'endormit assez vite. Pour ma part, j'étais tenu en éveil par une série de bruits suspects. J'avais Charm el Cheikh dans la tête, ainsi que cette phrase de Cyrano parlant de son nez : « C'est la mer Rouge quand il saigne ! » Pour me changer les idées, je lus les journaux que j'avais achetés à l'aéroport. *Libération* titrait sur la condamnation d'Alain Juppé. Dix-huit mois de prison avec sursis, dix ans d'inéligibilité, tout ça pour des histoires de financement occulte. Évidemment, c'était l'information importante de la journée. Le reste était un peu plus convenu : un type s'était fait sauter en Irak, Israël ripostait à Bethléem et Sharon déclarait que la « clôture de sécurité » était plus que jamais nécessaire... Par une sorte d'ironie, *LeFigaro Magazine* faisait sa couverture sur « L'étrange Tariq Ramadan ». Depuis quelques semaines, on l'avait beaucoup vu à l'occasion du chaos médiatique provoqué par la loi sur la laïcité. Doué d'un indéniable pouvoir de séduction, cet extrémiste populiste avait comme ambition avouée d'islamiser l'Europe. J'appris en lisant ce dossier qu'il était le petit-fils du fondateur des Frères musulmans, une organisation créée en Égypte justement, que l'on pourrait considérer à juste titre comme le berceau idéologique de l'islamisme moderne. Je me suis alors souvenu d'une émission récente au cours de laquelle Ramadan avait tenté de justifier le port du voile en parlant de cette fameuse « pudeur ». Un philosophe, en face de lui, lui avait calmement répondu : « Dans ce cas, pourquoi les hommes ne portent-ils pas le voile ? Le visage de la femme est-il plus impudique que celui de l'homme ? »

J'ai laissé tomber les journaux. J'ai fermé les yeux un moment sans parvenir à trouver le sommeil. Depuis un certain temps, j'étais torturé par d'interminables insomnies, et je n'arrivais pas à récupérer. Une hôtesse de l'air est passée dans le couloir pour nous proposer une boisson fraîche. Elle parlait fort, d'une voix désagréable, et Martin s'est réveillé. Il s'est frotté le visage, comme s'il avait dormi trois mille nuits d'affilée. J'ai commandé un jus de pomme.

— Je déteste les femmes qui parlent fort, a-t-il grogné une fois qu'elle se fut éloignée.

Ce n'était pas mon voisin de gauche qui allait le contredire.

— Oui, mais elle est jolie.

Martin s'est retourné.

— Ouais. Pas mal. Malgré l'uniforme...

— Moi, je trouve généralement qu'elles sont assez excitantes, les hôtesses de l'air, avec leur uniforme.

— Tu trouves ?

J'ai alors repensé à l'interview qu'avait donnée le chanteur Prince dans un magazine féminin : on lui avait demandé quel était son plat préféré, et il avait répondu : les hôtesses de l'air. Je ne sais pas pourquoi, ça m'avait marqué, et je n'ai jamais oublié cette réponse au point d'y repenser chaque fois que je prends l'avion. Sont-elles vraiment des filles faciles ? C'est une question importante. À cela s'ajoutait ce qu'on m'avait raconté sur les partouzes gigantesques organisées lors des escales entre les membres de l'équipage. Je ne savais pas du tout si c'était un mythe, mais chaque fois qu'un steward passait dans le couloir, je ne pouvais m'empêcher de me dire : toi, mon salaud, tu vas t'offrir du bon temps... Et de même, chaque fois que je croisais une hôtesse, j'avais sensiblement l'impression d'avoir affaire à une pute...

— Tu vis avec quelqu'un ? lui ai-je demandé.

— Ouais... Enfin, c'est compliqué.

— C'est toujours compliqué.

— Sans doute.

— Elle n'est pas hôtesse de l'air quand même ?

Il me fit un sourire triste et ne me répondit pas. Je me sentis un peu con. Puis, après un moment de silence, il m'expliqua qu'il ne croyait plus à la notion de « couple ». C'était pour lui une structure de domination de l'autre et de mensonges qui n'avait plus lieu d'être. Il préférait la notion « d'être préféré » qui laissait davantage de liberté et qui était plus honnête. Il m'expliquait ça, en fronçant les sourcils, comme si c'était une conception très personnelle, alors que la dissolution du couple est au contraire l'une des tendances les plus lourdes de l'Occident.

Le Boeing était traversé dans sa longueur par deux larges couloirs qui séparaient trois rangées de sièges ; chaque passager disposait d'un petit écran sur lequel était branché un programme de films, de jeux et de musiques. Nous parlions depuis pratiquement une heure. Il m'expliquait qu'il avait quitté la Suisse cinq ans auparavant pour venir s'installer à Paris. Au fond, j'étais assez content de ne pas partir seul. Et Martin avait l'air plutôt intéressant. Depuis le début, il avait la *Correspondance* de Flaubert sur ses genoux, un de mes livres préférés. Je lui ai dit que c'était étrange de partir en Égypte avec ce gros livre et, tout en disant ça, je me suis souvenu qu'il y avait quelques lettres concernant son voyage en Orient, notamment quelques lettres écrites en Égypte. Il me le confirma avec enthousiasme. C'était précisément à cause de ces lettres-là qu'il avait pris tout le volume. Il voulait les relire sur place.

— Ce qui est vraiment drôle, continua-t-il, c'est qu'en arrivant au Caire, ses premières lettres sont pour sa mère. Il lui décrit ce qu'il voit, mais c'est en réalité ce qu'elle voudrait voir, elle, qu'il décrit. On dirait une carte postale. Attends, je vais te trouver le passage...

Il ouvrit son recueil annoté et chercha un instant, la bouche ouverte. Puis il lut à voix haute : *Au coucher du soleil, le Sphinx et les trois Pyramides toutes roses semblaient noyés dans la lumière ; le vieux monstre nous regardait d'un air terrifiant et immobile. Jamais je n'oublierai cette singulière impression. Nous y avons couché trois nuits, au pied de ces vieilles bougresses de Pyramides, et franchement c'est chouette.*

— Et alors ?

— Et alors, ce qui est drôle, c'est qu'en même temps, il écrit à ses amis, et il raconte ses virées dans les bordels… Tu vas voir… Voilà ! *Nous sommes maintenant, mon cher monsieur, dans un pays où les femmes sont nues, et l'on peut dire avec le poète « comme la main », car pour tout costume elles n'ont que des bagues. J'ai baisé des filles de Nubie qui avaient des colliers de piastres d'or leur descendant jusque sur les cuisses, et qui portaient sur leur ventre noir des ceintures de perles de couleur.*

— C'est sûr qu'il ne va pas raconter ça à sa mère… Elle date de quand ?

— C'est une lettre de… 1849.

— Oui, parce que, aujourd'hui, on ne peut pas vraiment dire que les femmes soient nues dans ce pays… Ce serait plutôt le contraire, si j'ai bien compris.

— Moi, je crois que c'est toujours comme ça. On verra bien, mais ça ne m'étonnerait pas que ça couche un peu partout… Les Orientaux sont beaucoup plus sensuels que nous. Attends ! Un peu plus loin… *Sur les portes, des femmes debout, ou se tenant assises sur des nattes. Les négresses avaient des robes bleu ciel, d'autres étaient en jaune, en blanc, en rouge – larges vêtements qui flottent au vent chaud…*

Soudain il s'arrêta. Une partie des passagers s'était levée comme un seul homme. Ils n'allaient probablement pas tous aux toilettes au même moment. Il y avait quelque chose d'autre. Nous nous sommes regardés, Martin et moi, et je crois que nous avons pensé à la même chose. Mais ce n'était pas ça. Les pèlerins se sont tranquillement installés dans les couloirs et ont commencé à faire leur prière au sol. Il était l'heure ; l'avion s'était soudainement transformé en mosquée. Sans pudeur. Je n'en revenais pas. C'était un spectacle incroyable. Et finalement assez désagréable. On ne pouvait plus marcher dans les couloirs. Certains imploraient si fort qu'on osait à peine parler.

— On se sent seuls d'un coup, non ?

Mais Martin ne m'a pas répondu : il écoutait de la musique ; j'ai cherché les oreillettes qu'on nous avait distribuées, et j'ai fait de même. Peu de temps après, alors qu'ils étaient toujours prosternés, l'avion a traversé une zone de turbulences, et le chef de cabine nous a demandé de regagner nos sièges. J'ai vu que Martin avait un sourire ironique. La plupart des croyants n'ont rien voulu entendre, car une prière ne peut pas s'interrompre, et ils sont restés dans les couloirs à déclamer leurs versets coraniques, sans tenir compte de ce qu'on venait de leur demander ; ils préféraient la prière à la sécurité, et tout est dit.

Je me suis demandé ce qui se passerait si les turbulences devenaient de plus en plus fortes. Iraient-ils jusqu'à se faire renverser les uns sur les autres ? L'avion a commencé à bouger dans tous les sens. J'étais de plus en plus mal à l'aise. D'après l'écran qui se trouvait devant moi, nous survolions la Corse. Vraiment ? J'ai vérifié que ma ceinture était bien accrochée. À quoi servent les ceintures de sécurité dans un avion qui s'écrase ? Ça aussi, c'est une question importante. J'avais les mains moites. Je pensais encore à Charm el Cheikh. D'après ce que j'avais compris, l'accident avait duré environ trois minutes, ce qui est affreusement long. L'appareil avait fait une chute libre. Que se passe-t-il alors ? Les gens doivent hurler, vomir, se jeter les uns sur les autres. Une vision d'horreur.

Pour me rassurer, j'ai demandé à Martin si, d'une façon générale, il avait peur en avion. J'avais pris un ton détaché pour que cette question ne passe pas pour un aveu. J'espérais sans doute qu'il me dise oui, un peu piteusement ; j'aurais alors pu lui certifier qu'on ne risquait rien et qu'il était parfaitement inutile de s'inquiéter pour de simples petites turbulences. Mais, avec une assurance agaçante, il m'expliqua qu'il n'avait pas peur de mourir, ici ou ailleurs.

— Je suis de plus en plus fataliste, tu vois. Si ça doit arriver, ça arrive. C'est tout.

— Ça doit te faciliter les choses...

— Je ne tiens pas plus que ça à ma vie. Et de toute façon, s'il y avait un problème ici, au milieu de la Méditerranée, qu'est-ce que tu pourrais faire ? Pas grand-chose, non ?

Il me raconta alors, sur un ton presque enjoué, une histoire impossible ; je crois qu'elle avait vocation à m'expliciter sa vision de la fatalité.

— L'histoire se passe à New York, le 11 septembre 2001, précisa-t-il avec une jubilation un peu perverse.

— Oui, j'en ai entendu parler...

— Non, mais c'est une histoire dans l'histoire... Un type travaille dans une agence de communication dont les bureaux se trouvent dans l'une des deux tours, à l'endroit précis où l'avion est venu se cogner...

(J'ai voulu l'interrompre ; je trouvais bizarre l'emploi du verbe « se cogner ». D'après ce que j'avais vu, les avions avaient fait plus que simplement « se cogner » contre les tours, mais bon, c'était peut-être une expression suisse.)

« Autant te dire que tous ceux qui travaillaient dans cette boîte sont morts. Or, la veille, le patron de ce type tombe malade et lui demande de le remplacer pour aller voir des clients à Washington. Tu te rends compte ? Le type râle, il est dégoûté, et finalement, ça lui sauve la vie... »

— Comme quoi, dis-je en simulant l'indifférence.

— Attends, ce n'est pas fini... Car l'avion qu'il prend le matin même est justement celui qui va se cogner contre l'une des tours !

— Non !

— Si. Tu vois, il ne pouvait pas échapper à son destin.

J'ai fini par faire semblant de dormir : le silence était plus rassurant que les anecdotes de Martin. En fermant les yeux, je parvenais presque à oublier que j'étais dans un avion. J'ai alors repensé à une histoire qu'on m'avait racontée. Pour leur voyage de noces, mon oncle et ma tante étaient allés en Égypte, justement. Au pied d'une des pyramides, un type leur avait proposé de faire un tour en chameau, ils avaient accepté, et au moment où ma tante était montée sur l'animal, l'inconnu était parti au galop, comme s'il avait voulu l'enlever, mais la bête s'était arrêtée net quelques mètres plus loin, un caprice, et mon oncle, les ayant rattrapés, s'était battu avec ce faux chamelier. Cette histoire m'a alors fait penser à une autre anecdote, à peu près similaire, mais plus tragique. Un jeune couple vient d'arriver au Brésil, toujours pour leur voyage de noces. Ils sont dans un taxi ; le chauffeur demande au jeune homme s'il peut déposer la lettre qu'il lui tend dans la boîte aux lettres qui se trouve à dix mètres de la portière, il accepte, descend tranquillement du véhicule, se retourne et constate avec effroi que la voiture n'est plus là, sa fiancée a été enlevée, il ne la retrouvera pas… J'ai ensuite pensé à Jeanne, au réveil, à cette sensation idiote que j'avais eue de ne peut-être jamais la revoir. Me retourner, et constater que la voiture n'est plus là.

Une dizaine d'années après ce voyage en Égypte, mon oncle et ma tante ont divorcé d'une façon aussi médiocre que banale : en s'insultant, en se menaçant, en s'attaquant à coups de procès mesquins. C'est ainsi que finissent les histoires d'amour aujourd'hui, on le sait. Et l'idée de pouvoir résumer l'ensemble de l'autre sexe à une seule personne fait doucement sourire : nous savons désormais que la liberté des mœurs et l'exacerbation des désirs qui caractérisent l'époque moderne viennent facilement à bout de l'innocence et de la capacité d'illusions. Il faut désormais convenir qu'un couple n'a aucune chance de ne pas se dissoudre un jour. C'est une réalité dont on peut ne pas tenir compte. Mais il m'arrive parfois de me dire, la peur au ventre, que je pourrais être moi-même ce chamelier, moi-même ce taxi.

Quand j'ai ouvert les yeux, l'avion avait déjà entamé sa descente. Il était bientôt midi. J'étais pressé d'arriver maintenant. Nous n'avions rien de prévu dans la journée, et c'était très bien ainsi. Martin était en train de lire un guide sur l'Égypte. Je lui ai demandé s'il avait trouvé des choses intéressantes.

— C'est pas mal fait pour quelqu'un qui n'y connaît rien comme moi. Ils disent par exemple que notre hôtel est le meilleur du Caire...

— On est dans quel hôtel ?

— Au Marriott. Il y a un bar dans lequel on peut fumer les meilleurs chichas, paraît-il. Et regarde, là, ce qu'ils disent du bar du casino... *Un endroit où l'on peut faire des rencontres si l'on est disposé à payer...*

Martin me regardait, l'air enchanté.

— Tu vois, j'avais raison : Flaubert, ça ne vieillit pas si vite que ça ! La littérature est immortelle, et nous allons bientôt atterrir au pays des « femmes nues » !

Au même moment, l'avion vira de l'aile en direction du delta du Nil.

2.

L'*Egyptian Night*

Le chargé de mission de l'ambassade est venu nous chercher à l'aéroport. Jérémie avait moins de trente ans et ressemblait un peu à Brazza, cet aventurier de la fin du XIXe siècle qui avait découvert le Congo et dont j'avais vu un portrait quelques semaines auparavant : le nez droit, une courte barbe et, comme un paradoxe assez intrigant dans son visage, la coïncidence exacte d'un air de bonne famille et d'une préoccupation, je dirais, quasi romantique. Il nous serra la main avec beaucoup d'insistance, et je me suis dit qu'il devait s'ennuyer dans ce pays pour être si heureux de nous voir débarquer.

Une voiture de l'ambassade nous attendait. En arabe, Jérémie demanda au chauffeur de nous conduire à notre hôtel, ce qui était une façon de nous montrer qu'il connaissait bien la langue. Ce fut d'ailleurs ma première question : depuis quand parlait-il l'arabe ? Jérémie était arrivé au Caire un an et demi auparavant. Sa mission était censée durer deux ans, ce qui veut dire qu'il lui restait encore six mois à tirer. À l'ambassade, il s'occupait de promouvoir la culture française en organisant régulièrement des événements et en invitant des artistes. « Les intellectuels du Caire sont souvent francophones. Pas tous, mais il y a une vraie tradition et... »

Pendant qu'il parlait, je me demandais ce qui pouvait pousser un type de notre âge à venir travailler comme ça, au bout du monde ; moi, je ne pourrais pas le faire, je crois. J'étais trop attaché à l'Europe.

— Et les filles ? demanda sans détour Martin.

Jérémie eut l'air gêné et fit un sourire compliqué.

— Quoi, les filles ?

— Je ne sais pas... Je ne me rends pas compte de la situation... Est-ce qu'un Occidental peut draguer une Égyptienne par exemple ?

— C'est très difficile. Ici, en règle générale, les filles ne couchent pas. L'islam est très strict là-dessus. Mais il y a un peu de tout en Égypte... Je veux dire, il n'y a pas uniquement des femmes voilées, même s'il y en a de plus en plus.

— Mais toi, par exemple, en un an et demi, t'as pu rencontrer des filles ou c'est vraiment perdu d'avance ?

— C'est perdu d'avance, je crois... Mais je dois dire que je me suis surtout intéressé aux filles de l'ambassade...

— Des Françaises ?

— Oui.

Pendant le trajet, Jérémie nous expliqua comment allait se dérouler notre séjour. Il nous distribua aussi un programme sur lequel était inscrit tout ce que nous étions censés faire durant ces quelques jours. Contrairement à ce que j'avais espéré, nous n'aurions pas beaucoup de temps libre. En plus des conférences, une série de déjeuners et de dîners étaient organisés. Quelques visites étaient aussi prévues :

— Demain matin, si vous le voulez, nous avons réservé un guide pour vous accompagner au musée du Caire...

— Très bien...

— Vous serez aussi avec M. Cotté…

— L'homme politique ?

— Oui. Il est là pour quelques jours. Je crois qu'il est en train d'écrire un livre sur Alexandrie…

À travers la fenêtre, nous découvrions peu à peu les alentours du Caire. Sur le bord de la route, des palmiers défilaient ; indéniablement, on était loin de Paris. J'avais souvent vu M. Cotté intervenir à la télé au cours de différents débats politiques. Il avait des responsabilités « importantes » au sein de l'UMP. À plusieurs égards, il était l'incarnation parfaite de tout ce qui me dégoûtait en politique : l'ignorance, la prétention et l'optimisme soigné. Mais je n'étais pas étonné d'apprendre qu'il était en train d'écrire un livre. Depuis plusieurs années, les hommes politiques écrivent tous leur livre (ou plus exactement le font écrire) pour retrouver un peu du prestige qu'ils perdent quotidiennement en tentant de séduire des abrutis. C'est l'épine la plus pénible d'une démocratie d'opinion : les politiciens sont obligés d'aller faire les mariolles à droite ou à gauche, sur un plateau de télé ou sur un autre, pour essayer de démontrer qu'ils sont finalement très sympas et qu'on aurait tort de ne pas voter pour eux. Nous en sommes là. Alors forcément, pour ne pas se déconsidérer complètement, il est préférable de faire croire que l'on s'intéresse encore à autre chose qu'à sa seule carrière ; on se fait donc écrire un petit livre, on le signe impunément, et on retourne sans cravate sur les plateaux de télé pour essayer de se vendre une fois de plus – les hommes politiques sont devenus, par la force des choses, de simples prostituées qui n'amusent plus personne et qui bradent pauvrement leurs petites passes.

— T'es déjà allé voir la bibliothèque d'Alexandrie, ai-je demandé à Jérémie.

— Oui, bien sûr.

— Et alors, c'est comment ?

— C'est vraiment beau et historiquement assez fort. Malheureusement, vous n'aurez pas le temps d'y aller...

On arrivait déjà dans le centre du Caire. Je reconnaissais vaguement ces rues que j'avais arpentées avec mes parents. J'ai fait un effort pour ne pas y repenser. La circulation était si dense qu'on osait à peine ouvrir les fenêtres de la voiture. Le tumulte de la ville. Sa pollution.

— C'est beau ! s'exclama Martin.

— C'est Le Caire : aussi insupportable que magnifique...

Le Marriott se trouvait sur le bord du Nil. Jérémie habitait un appartement dans un autre quartier, mais il voulut nous accompagner pour s'assurer que nous étions bien installés. Il nous remit à chacun une enveloppe avec nos *per diems*.

— C'est pour vos différents frais durant le séjour...

C'était une somme assez importante qui représentait environ quatre-vingts euros par jour. Il nous laissa dans le hall, après avoir réglé les détails administratifs, et nous donna rendez-vous au même endroit en début de soirée pour aller dîner.

— Il a l'air sympa ce Jérémie, me dit Martin dans l'ascenseur.

— Ouais.

— Bon... On se repose un peu, et après on bouge ?

— Pourquoi pas.

— On peut aller prendre une chicha avant de retrouver Jérémie. Qu'est-ce que t'en penses ? Au bar de l'hôtel, par exemple...

— Avec les « femmes nues », c'est ça ?

— Exactement.

— Décidément, quand t'as une idée, tu ne la lâches pas...

— C'est l'inverse, me répondit-il très sérieusement. C'est elle qui ne me lâche pas.

Nos chambres étaient au même étage. J'ai pris une douche, puis, une serviette autour de la taille, je suis allé fumer une cigarette sur la terrasse. J'avais à peine ouvert la baie vitrée que le bruit sublime de la ville pénétrait dans ma chambre : des cris d'enfer, des bruits de moteurs, des klaxons incessants auxquels se mêlait, au loin, l'appel à la prière. En face de moi s'élevait la Tour du Caire, dressée en souvenir d'une victoire contre Israël. Je suis resté un long moment à contempler la ville orientale du septième étage de l'hôtel et, sans raison véritable, je me suis dit que j'étais bien – si l'on appelle « être bien » cet état de relâchement de la conscience qui permet d'oublier ce qu'on a déjà vécu, comme ce qu'on ne manquera pas de revivre à nouveau.

Et pourtant, au cœur même de cet oubli m'est revenu un souvenir : c'était en Bretagne, dans ce grenier qu'on avait transformé pour moi en chambre. J'y passais des heures entières à lire. De la petite fenêtre, on pouvait voir l'horizon, et j'étais, en quelque sorte, comme sur cette terrasse d'hôtel, en dehors du monde, mais sa rumeur montait sans peine jusqu'à moi. Au loin, oui, on pouvait voir la mer et la bande du golfe arrondie comme une arène. Et je m'amusais à trouver à cette parfaite courbe de sable un centre géométrique vers lequel avancerait, grave et déterminé, un tueur de taureaux qui, d'un geste de sacrificateur, délivrerait simplement la vie de sa tension et libérerait d'un coup dix mille cœurs. Dont le mien.

Quelqu'un a frappé à ma porte. Je suis allé ouvrir. On m'apportait ma valise. J'ai ensuite allumé la télé pour voir à quoi ressemblaient les chaînes locales. Il n'y avait rien de très intéressant. À cette heure-là, en tout cas. J'ai vu qu'un paquet était déposé sur ma table de nuit. Je l'ai ouvert. C'était un exemplaire du Coran offert par les organisateurs du salon du livre. J'ai trouvé que c'était une bonne idée ; ça faisait long-temps que je ne l'avais pas feuilleté. J'ai voulu le faire, mais je crois que je me suis endormi presque immé-diatement.

C'est Martin qui m'a réveillé en frappant à ma porte. Il faisait déjà nuit. Je suis allé ouvrir péniblement.

— Il est bientôt huit heures. T'es pas prêt ?

— Si, ai-je répondu en constatant que j'étais tou-jours avec ma serviette autour de la taille. Enfin pres-que…

— Je t'attends en bas si tu veux. Dans le hall.

— Ça marche. Je descends tout de suite.

Je me suis habillé en vitesse. J'avais encore envie de dormir, mais bon. D'après ce que j'avais compris, on était censés dîner avec des amis de Jérémie dans un restaurant du souk. J'ai mis une partie de mes *per diems* dans le coffre, et j'ai claqué la porte de la cham-bre derrière moi.

Martin était installé dans le hall d'entrée, rêveur. Il fumait une cigarette et fixait un groupe de jeunes filles voilées, assises un peu plus loin :

— Elles sont vraiment bizarres ces filles ! Elles n'ar-rêtent pas de mater, t'as remarqué ?

— Non. On a rendez-vous à quelle heure avec Jéré-mie ?

— Dans une heure. Pour les chichas, d'après ce que j'ai lu, ça se passe dans le jardin…

Il s'est levé sans détourner le regard de la table voi-sine. Apparemment, il était vraiment perturbé. Je lui ai proposé d'y aller…

— Ce qui est marrant, dit-il encore, c'est que moi, je trouve ça assez érotique, une femme avec un voile…

— Ah, bon ?

— Je veux dire, si on fait abstraction de ce que ça signifie.

— ...

— Tu trouves pas ?

Je ne trouvais pas. À première vue, la clientèle de l'hôtel était essentiellement internationale, mais moins occidentale que ce à quoi je m'étais attendu. C'étaient surtout des Saoudiens qui descendaient en bandes pour passer des vacances loin de leur pays. J'apprendrais par la suite qu'ils étaient véritablement détestés par la population locale. « Ce sont de gros porcs, me dirait Lamia, une fille de l'ambassade que je rencontrerais le lendemain. Chez eux, en Arabie Saoudite, ils sont complètement extrémistes ! Mais dès qu'ils s'éloignent un peu, au Maroc, en Thaïlande ou en Égypte, ce sont les pires des débauchés, et ils font exactement ce qu'ils condamnent ! Ils sont riches et se permettent d'étaler leur fric d'une façon indécente ! Il y a un nombre de filles qui tournent autour de ces types, tu n'imagines pas. C'est répugnant d'hypocrisie ! »

D'après moi, les filles non voilées étaient là spécialement pour eux, et non pour les touristes occidentaux, n'en déplaise à Martin. Enfin, comme il l'avait dit : on verrait bien.

Le jardin intérieur de l'hôtel était assez agréable et très odorant, surtout en cette saison où la chaleur n'était pas trop lourde. On l'a traversé en laissant la piscine sur notre gauche.

— C'est là ! me dit Martin en me désignant l'*Egyptian Night*, un café à ciel ouvert. Il n'y avait pratiquement personne. On s'est assis à une table et on a commandé deux chichas. Pas trop loin de nous, une fille attendait toute seule à une table et consultait son téléphone.

— Tu vois, elle, par exemple, c'est une pute...

Son obsession commençait à me faire sourire. Je me demandais dans quelle mesure il revenait invariablement sur ce sujet pour se moquer de lui-même.

— Elle est pas mal, tu trouves pas ?

— Pourquoi tu dis que c'est une pute ?

— Ça se voit ! Écoute, qu'est-ce qu'une fille comme elle ferait là, toute seule, à la terrasse d'un café, dans le jardin d'un grand hôtel ?

— Je ne sais pas, elle boirait un thé à la menthe par exemple...

— Mais non ! Je mets ma main à couper que c'est une pute !

Elle nous avait repérés. Elle faisait même des sourires ambigus à Martin. Je sentais qu'il avait du mal à tenir en place. On nous a apporté les chichas à la pomme. Je n'en avais pas fumé depuis plusieurs années ; Martin, lui, n'en avait jamais fumé. En général, quand ils ne connaissent pas, les gens assimilent ça à une pipe à opium, et le nom de chicha est immédiatement associé à celui de haschich. Je me suis souvenu, par exemple, de la fois où j'en avais fumé avec ma mère. Ce devait être à quelques rues de là, dans un café du souk, il y a maintenant cinq ans. Il y avait aussi mon frère. Elle rigolait toute seule, comme si elle avait la tête qui tournait – alors que ce n'est que du tabac. J'ai fermé les yeux, et j'ai revu son sourire si tendre. La façon si spéciale qu'elle avait de sourire. J'inspirai alors la fumée épaisse, et il me semblait que c'était pour apaiser une peine profonde qui tentait de remonter en moi.

— Elle est bonne ! a-t-il commenté.

— Très, ai-je répondu, mais je parlais de la chicha.

— Les filles de ces pays ont vraiment quelque chose, je trouve.

Au même moment, un Arabe est allé s'asseoir à la table de la pute de Martin – car, dans son esprit en tout cas, elle était déjà la sienne. Le vaudeville menaçait. Nous les avons observés en silence. L'homme s'est ensuite levé, puis, un instant plus tard, la fille a quitté l'*Egyptian Night* à son tour. Martin semblait excédé.

— Calme-toi, on vient seulement d'arriver…

— Oui, mais elle était pas mal, non ?

— Franchement, elle était très moyenne.

Deux filles sont ensuite entrées et se sont installées à une vingtaine de mètres de nous ; Martin retrouva l'Espérance. Il resta silencieux cinq bonnes minutes, complètement focalisé sur ces deux filles. Les serveurs devaient nous trouver assez ridicules. Je le voyais faire régulièrement de petits sourires pour tenter de les charmer alors qu'elles n'avaient a priori pas besoin de l'être. Je me suis demandé quelle était sa vie, à Paris. Il devait être seul, malgré ce qu'il m'avait dit. Seul et triste – comme la majorité des gens, en fait.

— Je crois que je vais y aller, me dit-il enfin avec une gravité de circonstance.

J'ai regardé l'heure : nous avions rendez-vous avec Jérémie dans une demi-heure.

— J'espère que tu es du genre rapide…

Il se leva, héroïque et impassible, traversa le café sous le regard des serveurs, s'approcha des deux filles, leur dit quelque chose à l'oreille ; c'est alors que son visage se ferma, il avala sa salive, eut un sourire gêné, fit demi-tour, marcha jusqu'à moi et me dit, toujours debout :

— Bon, viens, on y va.

J'eus du mal à contenir mon envie de rire.

— Qu'est-ce qu'elles t'ont dit ?

Il attendit d'être sorti du café pour me répondre.

— Elles m'ont envoyé chier ! Tu t'imagines ? Je touche le fond ! Je me fais envoyer chier par des putes…

— Mais elles t'ont dit quoi ?

— Rien ! Elles m'ont simplement envoyé balader. Les salopes…

Ça n'avait pas l'air de le faire rire.

— Ce n'étaient sans doute pas des prostituées, tout simplement.

— Mais si, j'en suis certain ! Seulement, je ne sais pas pourquoi, elles n'ont pas voulu.

Il était furieux. Et j'ai vu dans son regard quelque chose de très menaçant, une haine, m'a-t-il semblé, non pas contre ces deux filles en particulier, mais contre l'humanité tout entière, et j'ai cru entrevoir à cet instant qui il était véritablement, et cela m'a fait peur.

— Tout ça à cause de Flaubert ! ai-je finalement conclu pour détendre un peu l'atmosphère.

3.

Le bar du casino

Jérémie nous attendait dans le hall. Nous sommes sortis de l'hôtel pour prendre un taxi. Le Caire est une ville dans laquelle il est pratiquement impossible de marcher. D'ailleurs, dans certains quartiers, les trottoirs sont ridiculement étroits. Les gens conduisent très vite, souvent très mal, et les accidents sont nombreux. Le piéton du Caire est un condamné à mort. Jérémie monta à l'avant du taxi et indiqua la direction au chauffeur. Puis, se tournant vers nous, il nous expliqua qu'il y a peu de temps encore, après les prises de position de Chirac contre la guerre d'Irak, le fait d'être français facilitait vraiment la vie.

— Les gens se sont sentis trahis par Moubarak parce qu'il a suivi les Américains sans broncher. En fait, ils ont clairement eu l'impression que c'étaient les Américains qui décidaient pour eux. Et on peut comprendre qu'il y a quelque chose de vaguement désagréable à l'idée d'être dirigé par des cons...

— Vaguement, oui...

— En tout cas, ça a été comme un divorce entre le peuple et le gouvernement. En réaction, il y a aussi eu une sorte de solidarité musulmane internationale. Depuis un an, par exemple, c'est incroyable comme le nombre de femmes voilées a augmenté ! Tout le monde vous le dira ici. On ne s'en rend pas bien compte, je trouve, vu de l'étranger. Mais quand on est sur place depuis un certain temps, je peux vous dire qu'on le remarque tout de suite. En tout cas, pour la plupart des gens, il n'y avait que la France qui défendait leurs intérêts. Du coup, ça m'est arrivé plusieurs fois, par exemple, qu'un chauffeur de taxi m'offre la course simplement parce que je lui disais que j'étais français. J'avais même des amis anglais qui se faisaient passer pour des Parisiens...

— Ce n'est plus le cas maintenant ? lui ai-je demandé.

— Ça a un peu changé depuis quelques semaines. À cause de la loi sur la laïcité. Ici, les gens ont cru que c'était une loi islamophobe qui interdisait le voile dans la rue... C'est pour ça qu'en ce moment, il vaut mieux ne pas dire qu'on est français.

Martin n'écoutait pas la discussion. Il restait en retrait et regardait par la fenêtre. J'ai compris à ce moment-là qu'il s'était senti humilié dans le jardin de l'hôtel. Sa réaction me semblait exagérée. Jérémie nous montra une rue au bout de laquelle se trouvait son appartement. Puis, un peu plus loin, le Syndicat des journalistes. Le bâtiment ne devait pas servir à grand-chose puisque toute la presse était aux mains de l'État. Un journaliste n'écrivant pas exactement ce qu'il convient d'écrire perdait immédiatement son poste, voilà ce qu'on m'avait dit. Cela donnait des choses assez curieuses. Par exemple, tous les quotidiens titraient chaque jour sur Moubarak, comme si l'actualité internationale était essentiellement une déduction de ses faits et gestes. J'avais noté ce titre, dans *Al-Arham*, le journal que j'avais trouvé dans ma chambre en arrivant à l'hôtel : « Rencontre avec Bush : Moubarak accepte de donner son point de vue sur la situation internationale. » Dans ce contexte-là, il est vrai, on voyait mal à quoi pouvait servir un syndicat des « journalistes ».

— Bon, et sinon ça va, vous vous êtes un peu reposés ? demanda Jérémie avec un enthousiasme en plastique.

— Moyen, répondit Martin d'une voix sombre.

Le taxi nous déposa devant une mosquée en albâtre. J'étais heureux de revenir dans cette ville : le souk Khan El-Khalili, le bruit et la poussière de la place Tahrir, la gare centrale et surtout ces mosquées splendides qui se désagrègent jour après jour.

— J'adore ce pays, ai-je alors dit à Martin.

Le restaurant dans lequel nous avions rendez-vous se trouvait dans le souk, à quelques minutes de là. C'était un restaurant traditionnel assez réputé. Pour y accéder, il fallait traverser plusieurs de ces ruelles dans lesquelles des marchands vous attrapent par le bras pour vous vendre une babiole à la con à coups d'arguments assez originaux, genre : « C'est moins cher que gratuit ! » Jérémie nous guida sans problème jusqu'au restaurant. Ses amis nous attendaient déjà à l'intérieur. On se salua. Thibault et Paul. Enchantés. Ils travaillaient tous les deux à l'ambassade et vivaient au Caire depuis pratiquement trois ans. Ils avaient à peu près notre âge. On commanda des *mezzes*. Pour les boissons, on avait le choix entre une multitude de jus de fruits ; en revanche, on ne servait pas d'alcool. Pour moi, un dîner sans vin n'était pas vraiment un dîner, mais bon, là encore, c'était culturel.

— Ils ne rigolent pas avec ça, expliqua Thibault. Pour te donner un exemple, la rue du restaurant porte le nom d'un Égyptien d'une certaine époque qui a fait égorger son fils parce qu'il l'avait retrouvé soûl...

— Ah, bon ? Dans ce cas, c'est vrai qu'on va peut-être prendre du jus de fruits.

La discussion fut assez agréable, essentiellement menée par Thibault qui avait l'âme d'un animateur de télé : il pouvait parler pendant des heures sans que personne ne s'en rende vraiment compte. C'était un bruit de fond tout à fait supportable. Concernant le voile, ils confirmèrent ce que tout le monde disait : le phénomène prenait de l'ampleur de façon inquiétante. Et c'était, selon eux, un phénomène international.

— Tous ces pays, aujourd'hui, sont devenus une prison pour les femmes et entretiennent une haine du sexe ! On se dit que cela va de soi, mais ça n'a pas toujours été comme ça. Pensez aux *Mille et Une Nuits* ! Quand je suis arrivé ici, il y a trois ans, j'ai relu le conte, j'avais oublié à quel point c'était chaud...

Martin sortit enfin la tête de son assiette.

— Ah ?

— Il y a des scènes érotiques qui restent indépassables. C'est magnifique ! Eh bien, il n'y a pas très longtemps, le texte a été interdit par le pouvoir égyptien dans le seul but de se ménager les bonnes grâces des islamistes ! Vous vous rendez compte ?

— C'est fou !

— C'est surtout très inquiétant. Mais la vraie question, selon moi, c'est de savoir comment on est passé d'une culture qui prônait l'ardeur sexuelle à une négation aussi évidente du sexe. C'est tout.

Est-ce qu'il n'exagérait pas un peu ? Je lui ai demandé s'il ne pensait pas que le sexe était aussi présent qu'ailleurs, mais qu'il était simplement caché. Je m'imaginais facilement les amants en train de s'embrasser à la sauvette, à l'ombre de la morale rigide du Coran. Il me répondit que c'était souvent ce que répondaient les gens, mais qu'il n'y croyait pas. L'islam avait réussi cet exploit de réguler complètement la vie sociale. Après avoir vécu trois ans ici, il pouvait pratiquement l'affirmer : en dehors du mariage, il n'y avait pas de sexe dans ce pays ! Rien ! Le désert de sexe !

— Pourtant, objecta Martin, dans notre hôtel, tout à l'heure, on a quand même vu en passant qu'il y avait quelques putes...

36

— Surtout « en passant », dis-je à l'intention de Martin qui fit semblant de ne pas m'avoir entendu.

— Elles ne sont pas égyptiennes. Elles sont souvent libanaises ou marocaines, mais elles ne sont pas égyptiennes. Et elles ne couchent qu'avec les Saoudiens, je crois. En tout cas, pour les Égyptiens, il n'y a ni prostitution, ni liberté sexuelle.

— Comment font-ils ? se morfondit Martin.

— Ils s'enculent.

À part ça, les plats furent délicieux.

J'étais assez surpris par ce que disait Thibault. Je ne voyais pas comment une communauté humaine pouvait tenir sans sexe. La frustration devait être gigantesque. J'avais souvent entendu parler d'une homosexualité d'ersatz censée pallier le manque de femmes, mais je ne savais pas du tout s'il s'agissait d'un mythe ou d'une réalité. D'après ce qu'on m'avait dit, aussi curieux que cela puisse paraître, on retrouvait à peu près le même phénomène dans certaines familles ultra-catholiques de Versailles. Les jeunes filles ne voulaient surtout pas se faire dépuceler avant le mariage. C'est pourquoi elles se faisaient sodomiser par leurs amoureux d'adolescence. D'une façon plus générale, l'extrémisme religieux conduit toujours à ce genre d'aberrations hypocrites.

Pendant longtemps, en Occident, l'abstinence avait été considérée comme le moyen le plus sûr de sauver son âme. La religion avait notamment pour fonction d'organiser la vie collective autour de certaines valeurs, et cela ne pouvait qu'exclure la sexualité du champ social. J'imagine que, pendant des siècles, les vies intérieures s'étaient pratiquement limitées à une pauvre lutte contre ses propres pulsions. Au même moment, en Orient, comme l'avait rappelé Thibault, c'étaient les *Mille et Une Nuits*. Ce qui servit d'ailleurs de prétexte pour les grandes croisades. Plusieurs historiens ont effectivement démontré que le thème de la « luxure » musulmane avait servi de stimulation aux conquêtes religieuses. (J'ai alors pensé à cette phrase de Nietzsche qui devait se trouver dans *L'Antéchrist* : « Les croisés combattirent plus tard quelque chose devant quoi ils auraient mieux fait de se prosterner dans la poussière... ») Puis, peu à peu, l'Occident s'était débarrassé de cette religion frigide et avait développé une vision plus tragique de l'existence : l'absence de transcendance redonnait toute sa dimension au plaisir immédiat. Au désespoir des prêtres, il fallait jouir ici et maintenant. En attendant la mort.

Le monde islamique porte aujourd'hui un regard très sévère sur l'Occident, qui représente à ses yeux tout ce qu'il y a de condamnable : la débauche, la frénésie et la décadence. Nous nous retrouvons ainsi dans une situation inversée : comme à l'époque des croisades, le thème de la luxure occidentale sert d'argument au Djihad islamiste. J'ai repensé à l'article que j'avais lu dans l'avion sur Tariq Ramadan. Il pensait clairement que l'islam allait apporter un renouveau spirituel en Occident. Pour lui, l'islam avait vocation à se répandre et, en réaction à cette ambition, on entendait de plus en plus souvent dire que, s'il ne se passait rien de décisif, la civilisation occidentale n'avait tout simplement aucune chance.

On parlait maintenant d'une certaine Lamia, une fille de l'ambassade.

— C'est qui, cette Lamia ? demandai-je pour revenir dans la discussion.

— Tu la rencontreras demain sur le salon. Elle travaille avec nous. C'est la plus jolie fille du Caire...

— Demain ? nota Martin, l'air de rien.

Après le dîner, Thibault, qui ne se lassait pas d'animer la soirée, nous proposa d'aller fumer une chicha. Je déclinai l'invitation, préférant rentrer à l'hôtel. Martin décida de m'accompagner. Nous prîmes un taxi devant la mosquée. La course nous coûta une quinzaine de livres. Dans le hall de l'hôtel, Martin me proposa d'aller faire un tour au bar du casino avant de monter dans nos chambres. C'était une idée. Et nous nous retrouvâmes, un instant plus tard, dans une grande salle trop illuminée.

J'avais toujours eu tendance à jouer. J'aimais surtout le poker et la roulette. Après avoir changé un peu d'argent en dollars, je m'installai à une table, une vodka-glace dans la main. La salle était essentiellement remplie de Saoudiens obèses et vulgaires. Les débauchés de l'islam. Des filles attendaient au bar. Martin sirotait un whisky en face de moi. Il ne voulait pas jouer et se contentait de me regarder. Il préférait conserver son fric pour autre chose, disait-il en se tournant vers le bar ; décidément, il ne renonçait pas.

— Thibault t'a dit qu'elles ne couchaient qu'avec les Saoudiens !

— Mais non… ce sont des putes.

Comme d'habitude, je misai sur le 26 ; je perdis ainsi deux cents dollars en une demi-heure. Mais je l'avais sans doute cherché. Pendant ce temps, j'avais vu Martin s'approcher du bar, et il m'avait semblé, de loin, qu'il avait parlé avec une des filles.

— Imagine maintenant ce que tu aurais pu faire avec cet argent, me dit-il une fois revenu à la table.

— C'est vrai. Une fumée…

— Sans feu ! C'est de l'argent perdu inutilement.

— Tu dis ça parce que tu n'es pas joueur, c'est tout.

— Je suis joueur. Simplement, je suis pauvre.

— Moi aussi.

— Donc tu es con. On ne peut pas être pauvre et joueur à la fois. À moins d'être con.

— Alors…

— Alors quoi ?

— La fille ! Qu'est-ce que tu lui as dit ?

Avec délectation, il me fit un signe pour me faire comprendre qu'il fallait sortir de la salle. Je finis d'un trait ma deuxième vodka. Décidément, ce type commençait vraiment à me faire rire.

— Je suis passé devant elle, m'expliqua-t-il avec une voix chuchotante, comme s'il s'agissait d'une véritable confession, elle m'a fait un sourire, j'ai pensé que je n'avais rien à perdre, je suis allé vers elle et je lui ai donné un bout de papier sur lequel j'avais écrit le numéro de ma chambre.

— C'est tout ?

— Non ! Parce qu'elle parlait parfaitement français. Elle devait être libanaise. Elle était un peu choquée. Elle m'a dit : « On n'est pas en France ici, ce n'est pas comme ça que ça se passe. » Je lui ai répondu que j'étais désolé, que j'avais vu son sourire et que je n'avais pas résisté à l'envie de venir lui parler.

— Et alors ?

— Elle m'a expliqué qu'ici les choses se faisaient doucement. Il faut s'asseoir, discuter, offrir un verre à boire, tu vois le truc ? Faire semblant de penser à autre chose, toujours la même hypocrisie… Tu t'imagines, même avec les putes, ici, il faut faire semblant !

— C'est culturel ! dis-je avec ironie.

— Donc je me suis excusé. Et c'est là qu'elle m'a redemandé mon numéro de chambre.

— Donc elle va te rejoindre ?

— Je ne sais pas.

— Si elle t'a demandé ton numéro de chambre, il est probable qu'elle vienne te voir.

— C'est ce que je me dis.

Il avait l'air heureux, et je n'ai pu m'empêcher de rire. Il était quand même assez pathétique. Dans l'ascenseur, je lui ai dit que j'espérais au moins qu'il ne s'était pas trompé de numéro de chambre et qu'il n'avait pas donné le mien, par exemple.

— Tu t'en plaindrais peut-être ?

— Tu te rends compte que tu vas quand même baiser avec les *per diems* de l'ambassade...

— Eh, oui ! Au frais du contribuable français ! À qui l'on doit aussi, notons-le au passage, le financement de ta banqueroute à la roulette !

— C'est vrai...

Une minute de silence fut donc improvisée en hommage au contribuable français.

— Je n'ai d'ailleurs jamais compris ceux qui gueulent parce qu'il y a soi-disant trop d'impôts, reprit Martin... Moi je trouve qu'ils sont très utiles, ces impôts. La preuve !

Il était manifestement de très bonne humeur.

Je suis resté un certain temps sur la terrasse de ma chambre. Dans le minibar, il n'y avait pas d'alcool fort. Certains musulmans sont très généreux : les lois qu'ils s'imposent à eux-mêmes, ils veulent aussi vous les imposer. En vérité, à une époque dramatiquement individualiste, peu de gens témoignent d'une telle ardeur pour votre salut ; c'est gentil. J'ai demandé à la réception si on pouvait m'apporter un verre de vodka. Il arriva dans les dix minutes. Je repensais à cette journée, à la foule d'impressions que contiennent les premières heures d'un voyage. Puis j'ai pensé à mes parents. La descente du Nil avec eux. Notre séjour à Louxor dans un bel hôtel. Mon frère avait filmé tout ça. Il devait en rester quelque chose. Je crois que je ne pourrai jamais regarder ce film.

J'ai fermé la baie vitrée, et je me suis installé au bureau. J'avais envie d'écrire quelque chose. Je me suis dit que Martin devait encore être en train d'attendre sa Libanaise. Il avait sans doute pris une douche, et maintenant il attendait. Peut-être dans la même position que moi. Avec le même sentiment de lassitude. La même mélancolie. L'idée m'a traversé de descendre chercher une fille. Soudain quelqu'un a frappé à ma porte, et mon cœur s'est serré. J'ai avalé ma salive et je suis allé ouvrir.

Il n'y avait personne. J'ai regardé à droite, à gauche. Personne. Je suis retourné à mon bureau, un peu troublé. J'ai pris le papier avec l'en-tête de l'hôtel. Je suis resté un long moment dans le vague. Puis j'ai écrit une lettre à Jeanne, et je suis allé me coucher.

4.

Les bruits de guerre

Le téléphone sonna. Il était l'heure de se lever. Nous avions rendez-vous avec le guide pour visiter le Musée du Caire. Toujours tiraillé par mes insomnies, je n'avais pratiquement pas fermé l'œil de la nuit. En tout et pour tout, j'avais peut-être dormi deux heures – ce qui m'avait laissé le temps de parcourir un peu le Coran et d'annoter quelques passages particulièrement peu poétiques. Ce n'était pas à proprement parler une découverte : je l'avais déjà lu à une époque où je m'étais beaucoup intéressé à l'histoire comparée des religions. Je me suis dit que ceux qui prétendent que le Coran n'invite qu'à l'amour et que seule une *certaine interprétation* du texte pousse parfois au mépris des femmes et à la violence, ceux-là, me suis-je dit, n'ont tout simplement jamais lu le Coran ou ont peur de dire des choses incorrectes. De toute façon, me suis-je encore dit, il est désormais impossible de dire quoi que ce soit à ce sujet. Seul le silence règne. J'ai quand même relu à voix haute : *Admonestez celles dont vous craignez l'infidélité ; reléguez-les dans des chambres à part et frappez-les* – Coran, sourate 4, verset 34.

Je me suis levé. J'ai allumé la télé pour voir s'il y avait une chaîne d'informations permanentes. Puis je suis allé prendre une douche. Ce n'est qu'un peu plus tard que j'ai repensé à Martin. Que s'était-il passé pour lui ? J'ai composé le numéro de sa chambre. Personne ne décrochait. Il m'attendait sans doute en bas.

J'avais éteint le son de la télé, mais, alors que je m'apprêtais à éteindre le poste, les images attirèrent mon attention. Une catastrophe avait eu lieu, mais je ne parvenais pas à identifier laquelle. Des gens s'agitaient dans tous les sens. On sortait des corps de décombres poussiéreuses. De la fumée. Des femmes pleuraient devant les caméras. Je suis resté fasciné, la bouche ouverte, une dizaine de minutes au moins. Merde, me suis-je dit. C'était sans doute un attentat. Un frisson d'horreur m'a traversé.

Je suis descendu au restaurant. Martin était déjà installé à une table en train de lire le journal. J'ai demandé à une serveuse de m'apporter du café, et je me suis assis en face de lui.

— Alors ? T'as passé une bonne nuit ?

— Pas mal, et toi ?

Il n'avait pas l'air de très bonne humeur.

— J'ai vu à la télé qu'il s'était passé quelque chose… Un attentat, je crois. Ils n'en parlent pas ?

— Si, si… Mais c'est pas un attentat. C'est un immeuble qui s'est effondré.

— Tout seul ? Je veux dire…

— Oui, oui… Tout seul. Il était trop vieux.

— Où ça ?

— Dans le centre du Caire. Quarante morts, quand même.

Décidément, les Égyptiens n'avaient pas de chance en ce moment. Je me suis levé pour aller choisir mon petit déjeuner. Le buffet était copieux, mais rien ne me faisait envie. Il n'y avait que des trucs gras. À côté de moi, une femme se resservait en gâteaux au sucre. Je suis retourné m'asseoir. J'ai remarqué que Cotté était installé à une table avec un autre type pas trop loin de nous. Tous les deux portaient des chemisettes Vichy bleu. Ça me fatiguait d'avance de passer la matinée avec eux. De toute façon, je ne sais pas pourquoi, je ne la sentais pas, cette journée.

— Alors, tu ne me racontes pas ? ai-je enfin demandé à Martin.

— Quoi ?

La serveuse m'a apporté le café.

— À ton avis ! La fille... Elle est venue ?

— Non. J'ai attendu un peu, et puis je me suis couché.

— Ah ?

— Mais c'était prévisible : je n'étais qu'une bouée de secours pour elle. Une solution de rechange. Au cas où aucun Saoudien ne la prenait. Tu vois, je sais pas combien ils leur donnent, ces gros connards, mais à mon avis, ça représente pas mal de fric. Alors forcément, elle n'allait pas venir gagner dix balles avec moi...

— Alors qu'est-ce que t'as fait ? lui ai-je demandé pour tenter de le mettre un peu mal à l'aise.

— Je me suis branlé, répondit-il calmement. C'est la meilleure chose à faire, pour ce qu'on aperçoit en matière de cuisse...

J'ai fait semblant de rire. Il m'expliqua ensuite qu'il avait néanmoins été intéressé de voir comment ça se passait dans le bar du casino. Selon lui, il y avait là un signe positif : tous ces Saoudiens annonçaient finalement l'échec inévitable de l'islamisme. Je ne voyais pas bien en quoi. « Tu sais ce que Mahomet promet aux fidèles ? Un paradis exotique et sensuel dans lequel les jeunes filles se donnent facilement ! Une sorte de coucherie gigantesque. Eh bien, tout cela existe déjà ici-bas ! La frénésie de consommation et de sexe qui caractérise aujourd'hui l'Occident est en concurrence directe avec le paradis de Mahomet : entre les deux, il faut choisir, et tous ces Saoudiens ont clairement fait leur choix. En agissant de la sorte, ils n'espèrent plus aller au paradis, ils préfèrent s'enivrer immédiatement des plaisirs interdits. À la limite, on peut même douter de leur foi véritable. Ils sont extrémistes dans leur pays parce que ça les arrange, mais ce à quoi ils aspirent vraiment, c'est finalement ce que propose le capitalisme occidental. À terme, tous ces types abandonneront l'islam… »

Je n'étais pas d'accord avec lui. La débauche et l'hypocrisie n'annonçaient en rien la condamnation du système musulman. L'Occident exerçait certes une attraction sur les jeunes Arabes favorisés, mais ils ne renonçaient pas pour autant aux valeurs musulmanes. D'ailleurs, en prenant un exemple un peu extrême, les terroristes qui étaient tristement devenus célèbres après le 11 septembre avaient tous plus ou moins intégré le système occidental avant d'en désirer la destruction. « C'est pas faux », dit-il après un moment de réflexion. On aurait pu croire, il y a quelques années, que toutes les religions étaient à terme condamnées en tant que système d'explication du monde, principalement à cause du capitalisme qui agit directement contre le puritanisme religieux en exacerbant le désir, la volonté de consommer et le matérialisme. Mais le constat inverse s'imposait finalement ! « C'est vrai, reprit-il, le monde se radicalise… Les États-Unis sont grossièrement dirigés par la secte des évangélistes tandis que, de l'autre côté, l'islam se durcit et prépare une armée de types incultes qui ne rêvent qu'à une chose : nous détruire… »

Je lui ai ensuite parlé des passages du Coran que j'avais lus pendant la nuit. Il semblait étonné. Il n'avait pas vu le paquet dans sa chambre. De mémoire, j'ai cité les sourates qui appellent à l'extermination des infidèles… Il m'écouta sans rien dire. Je crois qu'il pensait à autre chose. Puis on alla dans le hall. Le guide était déjà là. Peu de temps après, M. Cotté arriva. Les présentations faites, le guide nous proposa de sortir de l'hôtel : la voiture de l'ambassade nous attendait. La classe, quoi.

Il n'était que neuf heures, mais il faisait déjà très chaud. C'est seulement à ce moment-là que j'ai réalisé que nous étions en Afrique ; j'ai toujours été assez lent pour ce genre de choses. La circulation était impossible. Le guide nous expliqua que c'était à cause de l'immeuble qui s'était effondré. Martin ne parlait pas. Il n'avait sans doute pas assez dormi. Quant à M. Cotté, il dissertait sur les pyramides. Il les avait visitées la veille. Ça avait été un vrai choc esthétique pour lui : elles étaient beaucoup plus petites que dans son imagination !

— Alors comme ça vous écrivez un livre sur Alexandrie ?

— Comment le savez-vous ?

— C'est le chargé de mission qui me l'a dit.

— Ah ? Oui, sur Alexandrie... J'ai toujours adoré les bibliothèques.

— ...

— Vous ne l'avez jamais vue ? Vous devriez, c'est impressionnant ! Pour tout vous dire, c'est beaucoup plus grand que ce à quoi je m'attendais !

M. Cotté était l'homme de la nuance ; c'est sans doute pour cette raison qu'il avait des responsabilités importantes en politique. Il partit alors dans un long monologue sur la portée symbolique de cette immense bibliothèque rassemblant des ouvrages de tous les pays et dans toutes les langues. À l'entendre, c'était un espoir pour l'humanité. En tout cas, il avait déjà ses arguments de promotion.

Le chauffeur nous déposa place Tahrir, en face du Musée. Curieusement, j'avais un souvenir assez précis de l'endroit, qui était l'endroit même du mystère et de la beauté. L'organisation des salles du rez-de-chaussée suivait une progression chronologique. Cotté, en admiration devant une statue monumentale de Khephren représentant une femme avec une couronne égyptienne, dit : « Vous avez vu, c'est intéressant, ils portaient déjà le voile à l'époque ! »

— En fait, intervint le guide, un peu gêné, ce que vous voyez est une couronne classique de la IVe dynastie, mais ce n'est pas un signe religieux. Ce sont les musulmans qui portent le voile…

— Oui, oui, c'est vrai. Mais à l'époque, il n'y avait pas encore de musulmans en Égypte ?

Personne ne lui indiqua qu'il commettait une légère erreur de plus de deux mille ans ; mais ça peut arriver à tout le monde, apparemment. Le premier étage était essentiellement consacré à la tombe de Toutankhamon. J'appris que ce prince était mort à dix-neuf ans – c'était un peu le Radiguet de l'Égypte, à cette différence près qu'il n'avait rien écrit. D'ailleurs, il n'avait rien fait de particulier. Seulement, sa tombe était encore intacte quand elle fut découverte dans les années 1920. Elle contenait un nombre incroyable d'objets, parmi lesquels – et c'est ce qui retint surtout mon attention – un minuscule préservatif en soie ! La chose me parut invraisemblable.

— C'est fou, non ?

— C'est vrai que c'est étonnant…

— Je ne pensais pas qu'ils avaient déjà des préservatifs à cette époque !

— Pardon pour le cliché, mais c'est un peu bizarre quand on voit que les femmes sont aujourd'hui presque toutes voilées ! Alors qu'il y a trois mille ans, la distinction entre le principe du plaisir et celui de la reproduction était apparemment évidente !

— Ouais. C'est quand même une sacrée régression…

— L'islam…

— Une *certaine interprétation* de l'islam ! rectifia l'homme de la nuance.

Après avoir déjeuné, nous nous sommes rendus au salon du livre qui se trouvait en dehors de la ville, à Héliopolis. Le trajet a duré pratiquement une heure à cause des embouteillages. La climatisation ne marchait plus, et le chauffeur a ouvert la fenêtre : au bout de dix minutes, nous étions tous à cracher nos poumons à cause de la pollution. Jérémie m'apprit alors que les fonctionnaires français qui travaillaient dans cette ville bénéficiaient d'une prime pollution pour leur retraite.

— T'as préparé quelque chose pour la conférence ? me demanda Martin sans se faire entendre de Jérémie.

— Pas vraiment. Mais ce n'est pas nécessaire. Il y aura une coordinatrice...

— Une quoi ?

— Une fille qui nous posera des questions. On ne te demandera pas de faire un monologue de vingt minutes sur ta vision de la littérature, par exemple.

— Tant mieux, ça m'arrange...

D'après ce que j'avais compris, un débat était prévu avec des romanciers et des critiques égyptiens. Ce serait sans doute intéressant. Pour tout dire, je ne connaissais rien à la littérature de ce pays. Le seul écrivain égyptien que j'avais jamais lu vivait en France depuis des années. Je parle d'Albert Cossery. Je le croisais souvent du côté de la rue Jacob. Il marchait d'un petit pas de moineau sans regarder autour de lui. On avait parfois l'impression que le monde ne l'intéressait plus. Je crois qu'il vivait dans un hôtel du quartier, le Louisiane, renouant ainsi avec cette époque disparue, celle des années trente, où les écrivains étrangers habitaient dans les hôtels parisiens, Faulkner au Lenox, Hemingway au Ritz – tous ces endroits fabuleux pris aujourd'hui d'assaut par les touristes américains.

— Et la coordinatrice, demanda Martin, c'est cette fameuse Lamia ?

— Non, c'est la rédactrice en chef d'un journal un peu intello. Je ne la connais pas, ajouta Jérémie.

Martin eut l'air déçu ; il aurait voulu se faire coordonner par Lamia. Sur notre droite, Jérémie nous montra alors ce qu'on appelait la « cité des morts ».

C'était un quartier pauvre du Caire, un ancien cimetière dans lequel étaient venus s'installer ceux qui n'avaient pas de quoi se payer une habitation décente. Des familles entières vivaient ainsi dans des caveaux, parmi les morts.

Pendant tout le trajet, j'ai pensé à Jeanne. Que faisait-elle ? J'avais volontairement décidé de ne pas prendre avec moi mon portable. Elle me semblait si loin maintenant. Il fallait que je poste aujourd'hui la lettre que je lui avais écrite. Après l'avoir relue, peut-être, car la vodka m'avait sans doute fait dire des choses maladroites. On s'écrivait beaucoup, elle et moi. Dans les premiers temps, j'avais eu peur, je sortais d'une série de déceptions violentes. J'étais à terre. Puis je l'avais rencontrée, elle, si merveilleuse, et quelque chose en moi, oui, avait eu peur des promesses de souffrance que cela représentait. Ne pas trop s'attacher, me disais-je stupidement. Se barricader contre la peine. « Tu me quitteras », lui disais-je parfois. Ça l'amusait.

— Pourquoi tu dis ça ?

— Parce que. Je le sais. Un jour, tu me quitteras.

— Tu connais l'avenir, toi, peut-être ?

— Oui. Tu ne me crois pas ?

Elle ne me croyait pas. Alors, je m'en souviens parfaitement, j'avais pris une enveloppe vide :

— Tu vois cette enveloppe ? Je vais écrire à l'intérieur les conditions exactes de notre rupture. Je vais même te mettre une date. Te dire comment se passeront les choses, ce que tu me diras, ce que je te dirai, tout ! L'avenir, en somme. Je vais fermer cette enveloppe, et tu ne la liras qu'au moment venu, d'accord ? Et tu verras.

Elle rigolait.

— Mais tu me promets de ne pas l'ouvrir avant, hein ?

Elle me l'avait promis. Pourtant, plusieurs jours après cette discussion, j'avais retrouvé le bout de papier sur lequel j'avais décrit notre perte ; il traînait, perdu sur un coin de table. Cela m'avait mis en colère. Je lui avais reproché de n'avoir pas su jouer jusqu'au bout, mais elle n'avait rien voulu admettre :

— Je ne l'ai pas lue, ta lettre, je te dis !

Pour me le prouver, elle m'avait montré l'enveloppe : elle l'avait soigneusement rangée dans ses affaires comme l'aurait fait une petite fille ; effectivement, elle n'était pas décachetée. Je compris alors que j'avais oublié de mettre la lettre à l'intérieur de l'enveloppe. C'était la seule explication. Cela m'avait d'abord semblé impossible, mais j'avais dû m'y faire : l'enveloppe de notre avenir était vide.

— C'est un signe, tu crois ? m'avait-elle demandé en riant.

C'est à partir de là, il me semble, qu'on avait pris l'habitude de s'écrire beaucoup. Pour combler ce vide, peut-être. Et pour oublier ce que j'avais écrit, imbécile, sur ce bout de papier très vite brûlé par nous. Sur ses lettres, elle signait : « ta coccinelle ».

C'est le téléphone, et notamment le portable, qui a définitivement assassiné la pratique de la correspondance. Je pense souvent à ces femmes qui vivaient dans l'espérance, sur le gage d'une seule lettre d'amour, quand l'autre, par exemple, partait à la guerre. Les mots avaient alors une force redoutable puisqu'ils décidaient des vies. On attendait, et on faisait confiance même sans nouvelle de l'autre pendant des périodes infinies. Aujourd'hui, on commence à paniquer dès qu'on ne parvient pas à le joindre sur son portable. Que fait-il ? Pourquoi ne répond-elle pas ? Avec qui est-il ? L'angoisse a gagné du terrain. Nous sommes entrés dans une période sans retour qui signe la fin de l'attente, c'est-à-dire de la confiance et du silence.

Le salon du livre était en réalité une sorte de foire immense. La plupart des livres exposés étaient religieux : des commentaires des versets, des méthodes de renonciation, des guides de prières. À côté, l'endroit réservé à la littérature était minuscule. « Ici, les gens ne lisent pas du tout de roman, m'expliqua Jérémie. À la limite, concernant la littérature, il y a une petite élite qui s'intéresse à la poésie, mais c'est tout... »

Je comprenais enfin pourquoi nous étions invités, Martin et moi.

La salle dans laquelle on était censés faire notre conférence était pourtant assez remplie. Les autres intervenants nous attendaient. On nous donna des oreillettes de traduction immédiate pour pouvoir suivre la conversation en arabe. J'étais assis à côté d'un jeune romancier d'une trentaine d'années qui ne me salua pas. La coordinatrice commença immédiatement et, contrairement à ce que j'avais pensé, elle donna arbitrairement la parole à Martin pour qu'il puisse nous dire, en un petit exposé concis, quelle était sa vision de la littérature. Le pauvre avala sa salive et se mit à bafouiller, d'autant que chacune de ses phrases était instantanément traduite en arabe. Puis la discussion fut engagée. La coordinatrice parlait assez mal le français, mais croyait très bien le parler ; du coup, elle nous posait régulièrement des questions, du genre :

« En France, les jeunes écrivains sont-ils plus jeunes que ceux qui écrivent en étant plus âgés que les jeunes ? »

Ou : « Pensez-vous que les auteurs qui vous ont influencé vous ont influencé pour écrire ? »

Ou encore : « Comment avez-vous pris la nouvelle génération pour écrire ? »

L'auditoire nous regardait avec sérieux ; c'était des questions importantes, après tout. En m'appliquant pour répondre (« La nouvelle génération ? Je l'ai surtout prise par-derrière, mais pas tous les jours quand

52

même… »), je cherchais dans la salle qui pouvait être Lamia. D'après ce que m'avait dit Jérémie, elle était marocaine et travaillait avec eux depuis seulement six mois. J'avais cru comprendre qu'il l'aimait bien, et qu'il n'était pas le seul. Thibault, lui aussi, était vaguement sur le coup. Martin ne tarderait pas à l'être. « La plus belle femme du Caire. » Il faut dire que la concurrence n'était pas très rude et qu'elle avait une sorte de monopole dans la capitale, puisqu'apparemment, les Égyptiennes, même quand elles n'étaient pas voilées, ne couchaient pas.

Après un certain temps, la parole fut surtout donnée aux deux critiques qui figuraient parmi les intervenants – deux espèces de tortues préhistoriques travaillant dans les deux grands quotidiens nationaux. En les écoutant parler, je réalisai qu'ils étaient en réalité fonctionnaires, puisque la presse appartenait à l'État, et qu'à cet égard, ils en étaient les représentants. « Ce qui préside au jugement d'un texte, dit l'un, c'est la morale et la beauté. Est-ce qu'un roman est moral ? Et est-ce qu'il sait rendre cette morale esthétique ? Voilà les questions que se pose la critique ! » (Dans mon oreillette, la traductrice disait : « criticisme » au lieu de « critique », sans doute à cause de l'anglais « criticism » ; dans tous les cas, on n'était pas loin de « crétinisme ».) Martin intervint alors, par goût de la provocation, et demanda aux deux crétins ce qu'ils pensaient de Flaubert. Dans son esprit, il faisait probablement allusion à la *Correspondance*, supposant qu'ils auraient au moins entendu parler des passages égyptiens qui, nous l'avons vu, n'incarnent pas tout à fait la morale, mais ils répondirent directement au sujet de *Madame Bovary*, le seul livre de cet auteur qu'ils avaient sans doute lu. J'appris ainsi que ce roman avait été traduit en arabe, mais que ce n'était pas une raison pour le lire. Un tel texte était contraire à l'éthique et à l'esthétique, nous dit l'autre. Toutes ces coucheries inutiles ! Il ne fallait pas compter sur les journaux sérieux pour le défendre ! À mort *Madame Bovary* ! J'étais quand même assez sidéré. (Heureusement que ces types n'ont pas lu mes livres, me suis-je dit.) À l'époque de sa publication, ce roman avait posé quelques problèmes à Flaubert, soi-disant pour délits d'outrage à la morale publique et religieuse, mais c'était en 1856 ! On a toujours l'impression que l'Égypte est un très joli pays avec ses pyramides et ses couchers de soleil sur le Nil, mais on oublie un peu trop rapidement que c'est aussi un pays dans lequel *Madame Bovary*, l'histoire de cette femme mal mariée, de son époux médiocre, de ses amants vains, remet trop en cause l'ordre des choses pour être lu. Ici, les mariages sont forcément bons, les époux jamais médiocres et les amants n'existent pas.

J'ai repensé à ce que nous avait dit Thibault : les contes des *Mille et Une Nuits* avaient également été interdits. Après la discussion, j'ai rencontré une journaliste qui parlait très bien français et semblait venir d'une autre planète, celle de la civilisation. Je lui ai dit ma surprise concernant ce qui avait été dit à propos de Flaubert. Elle avait fait des études en France et comprenait de quoi je parlais. « Malheureusement, c'est comme ça, déplora-t-elle, on ne peut rien y faire, et c'est de pire en pire. » Le jeune romancier égyptien était à côté de nous. Il parlait un peu anglais. Je lui ai demandé comment on pouvait écrire, s'il fallait se soumettre aussi docilement à la morale religieuse. Il avait l'air triste. Il m'expliqua que, selon lui, il n'y avait pas vraiment de littérature dans ce pays. « L'islam est incompatible avec la vraie littérature », disait-il en exagérant sans doute un peu. Les écrivains officiels faisaient du lyrisme sans intérêt sur fond de patrimoine et de pyramides, et on les applaudissait dans la hiérarchie, on leur donnait des médailles ; quant aux vrais écrivains, ils partaient dans d'autres pays, quand ils en avaient la possibilité, ou écrivaient de la poésie, ce qui était son cas, moins censurée parce que moins claire et donc moins dangereuse. J'ai pensé encore une fois au préservatif de Toutankhamon.

— Ce qui fout les boules, ajouta Martin, c'est de voir qu'en Europe, c'est aussi de plus en plus comme ça.

— De quoi ?

— Ils nous ramènent leur morale religieuse à la con !

J'étais un peu gêné. Pourquoi Martin était-il si agressif ?

— Ils appellent ça le « renouveau spirituel » de l'Occident ! Alors que c'est justement l'inverse de l'esprit ! T'as entendu ce qu'ils ont dit ? L'impossibilité de sortir du beau et du bien, franchement, c'est exactement la mort de l'esprit. Et ça a déjà commencé ! L'esprit est une menace directe pour ceux qui martèlent une unique vérité tout droit sortie du désert ! C'est de la barbarie !

— De la barbarie ?

— Parfaitement. La barbarie, c'est la fin de la culture ! Et le terreau de cette barbarie, c'est l'illettrisme, la régression mentale et la connerie sous toutes ses formes ! Le nombre de procès contre les livres organisés par les associations musulmanes hantées par la vertu, c'est flippant ! Et ça sera de pire en pire !

J'ai préféré ne rien répondre. Mais cela m'a fait penser aux *Variétés* de Valéry ; et notamment à la première lettre de « La Crise de l'esprit » dans laquelle l'auteur découvre, au lendemain de la guerre, qu'une civilisation a la même fragilité qu'une vie. Elle est mortelle et peut ainsi se faire poignarder par celui-là même qui s'avance avec un grand sourire modéré.

L'Hamlet occidental se tient debout devant ce spectacle à venir. Que décidera-t-il de faire ? Il médite sur ce qui vient. Il a pour fantôme cette intuition que quelque chose de grave est en train de se préparer dans le silence du matin. Les battements d'un tambour sans peau. Il songe à la peur de voir un jour mourir ce à quoi il tient, il songe aussi, de l'autre côté, à la folie de vouloir embrasser sans réserve la tendance du monde. Il chancelle entre les deux abîmes.

S'il choisit un crâne, c'est un crâne illustre – *Whose was it ?* –, celui-ci fut Rabelais. Il inventa l'humour européen et envoya les moutons à la mer sans redouter leurs bêlements imbéciles... Et cet autre crâne est celui de Voltaire, légèrement déformé au niveau de la mâchoire pour avoir trop ricané de la religion. Celui-là est justement celui de Flaubert qui écrivit un jour : *Il y a peu de femmes que, de tête au moins, je n'aie déshabillées jusqu'au talon !*

Hamlet ne sait pas trop quoi faire de tous ces crânes. Parfois il voudrait les lancer à la figure de certains barbus. Mais s'il les abandonne, va-t-il cesser d'être lui-même ? Son esprit affreusement clairvoyant contemple le passage de la paix, qu'il espérait de tout son cœur, à la certitude de la guerre. C'est ainsi. Il n'y peut rien. Que faire ? se demande-t-il encore une fois. Dois-je suivre le mouvement et faire comme Polonius, qui milite maintenant pour le respect de l'Autre ? Comme Laertes, qui ne cesse de répéter qu'il faudrait impérativement se réjouir de l'avenir ? Comme Rosenkrantz, qui me rigole au nez quand je lui confie mon pessimisme ?

— Le monde n'a plus besoin de ces fantômes, dis-je alors à voix haute.

On me regarda avec étonnement. Il est vrai que j'avais sauté une étape dans mon raisonnement. Plusieurs personnes se dirigeaient déjà vers la sortie pour aller boire un verre à Héliopolis.

— Bon alors, on y va ? s'impatientait Jérémie.

5.

Les femmes nues

J'ai préféré repasser par l'hôtel avant d'aller au dîner. Je suis resté un long moment seul dans ma chambre. Si je ne peux pas m'isoler quelques heures par jour, je deviens impatient et difficile à vivre. Je ne sais pas vivre en communauté. Et puis j'étais fatigué. Au fond, je n'avais pas assez dormi depuis mon réveil, à Paris. Je suis resté allongé sur mon lit à lire, à repenser à tout ça. Puis j'ai pris un bain. Et je crois que j'ai un peu somnolé. Lamia n'était pas venue à la conférence. Je la verrais le soir même. Un dîner était organisé sur un bateau, le long du Nil. Jérémie m'avait dit qu'on trouverait de l'alcool à bord. J'étais censé les rejoindre là-bas. Je me suis habillé. Je ne sais pas faire les valises. Il m'arrive régulièrement, par exemple, d'oublier de prendre des chemises, ce qui complique souvent mes voyages. Mais cette fois, j'avais tout ce qu'il me fallait. J'ai hésité un instant à aller à ce dîner. J'avais mal aux yeux tellement j'avais envie de dormir. J'ai appelé la réception, et, pour me réveiller, j'ai demandé un verre de vodka. À ce moment-là, j'ai vu que mon téléphone clignotait, et je me suis dit que j'avais peut-être un message. J'ai voulu l'écouter. Ce devait être Jérémie qui me prévenait que l'horaire ou le lieu avait changé. Non. C'était Jeanne. J'étais heureux d'entendre sa voix. Mais je ne me souvenais pas lui avoir

57

donné le nom de mon hôtel. Elle avait sans doute appelé mon éditeur. Il s'était donc passé quelque chose de grave. Mon cœur s'est serré, résigné à accueillir la mauvaise nouvelle, qui était en réalité une bonne nouvelle : elle avait peut-être trouvé un appartement. Comme nous n'avions pas beaucoup d'argent, et que ni elle ni moi n'avions de métier fixe, il était assez difficile de trouver un propriétaire confiant. Elle m'embrassait au téléphone, la coccinelle, toute joyeuse. On a frappé. Je suis allé ouvrir, le sourire aux lèvres : c'était le room-service qui m'apportait la vodka. Elle tombait bien, celle-là. Je suis allé sur la terrasse. J'ai regardé la ville, mon verre à la main. C'était vraiment une bonne nouvelle. Une de ces nouvelles qui vous font oublier, l'espace d'un instant, la certitude calme de l'inimportance de tout – et j'ai bu à ma santé.

À la sortie de l'hôtel, j'ai pris un taxi et je lui ai indiqué le nom du restaurant. Je n'arrivais pas à le prononcer, ce nom, ou lui à me comprendre, et j'ai dû demander au portier de l'hôtel de m'aider à expliquer au chauffeur où je devais me rendre, mais le portier, qui ne parlait pas anglais, ne comprenait pas non plus ce que je lui demandais et dut demander à la réception qu'on lui explique où je devais me rendre pour qu'il puisse l'expliquer à son tour au chauffeur du taxi qui devait m'y conduire – l'instant d'après, forcément, j'étais devant le Ramsès.

Il s'agissait d'une sorte de bateau à quai transformé en restaurant : de la berge, un ponton illuminé permettait de monter à bord. C'était assez joli, et je n'étais plus du tout fatigué. Une femme voilée m'ouvrit la porte. Elle était plutôt mignonne – du moins pour ce qu'on pouvait en juger. Elle me conduisit jusqu'à la table réservée par l'ambassade. Jérémie était déjà là avec Martin.

— T'as trouvé facilement ? me demanda-t-il.

— Sans problème. Et vous, cette chicha ?

— On est allés dans un bar d'Héliopolis.

Un serveur nous apporta un plateau avec des verres de toutes les couleurs.

— C'est l'apéritif, expliqua Jérémie. Des jus de fruits… L'alcool, c'est pendant le repas ici.

— Bonjour…

Une jeune femme se tenait devant moi. Jérémie fit alors les présentations : elle s'appelait Mathilde. Elle travaillait aussi à l'ambassade et avait, cela dit en passant, une tête de monstre marin. On s'est serré la main. Elle me parla un peu de la journée. Elle avait assisté à la conférence et avait beaucoup aimé ce que j'avais dit sur le nouveau réalisme. C'était d'autant plus gentil de sa part que je n'avais rien dit sur le nouveau réalisme. L'attaché culturel, le supérieur de Jérémie, s'approcha à son tour. Il me salua avec distinction ; je compris que j'étais censé être honoré de le rencontrer. Puis on trinqua à l'Égypte où, décidément, la culture francophone était bien mal représentée. L'attaché culturel lança une discussion sur Stendhal dont il prétendait lire un court passage chaque matin. On attendait encore quelques invités. La table dressée pour nous était effectivement assez grande. La femme de l'attaché culturel s'agitait dans tous les sens et expliquait que c'était elle qui avait eu l'idée de faire le dîner dans ce restaurant, et non chez eux ; ça avait l'air de la rendre heureuse. Les deux romanciers égyptiens de la conférence discutaient avec une autre fille dont je ne pouvais voir que le dos et les longs cheveux noirs – probablement cette fameuse Lamia.

Jérémie me parlait du programme du lendemain, mais je ne l'écoutais que d'une oreille. Je sirotais mon jus de fraise en silence. D'après ce que j'avais compris, on avait la possibilité d'aller visiter les pyramides le matin. Je les avais déjà vues, et je crois que je préférais ne pas y retourner. D'une manière générale, je ne parviens pas à me défaire du dégoût un peu puéril que suscite en moi le tourisme. Mon verre était vide, et un serveur est venu me le prendre des mains. Au même moment, Lamia s'est approchée de nous. Elle demanda à Jérémie, sans même me regarder, s'il savait ce que faisaient les derniers invités. Puis elle s'aperçut que j'existais, me fit un sourire froid et me demanda, avec un léger accent arabe, comment s'était passée ma première journée au Caire.

— Ma deuxième journée, rectifiai-je.

Elle avait de grands yeux noirs qui n'avaient pas peur de regarder l'autre en face. Ses cheveux tombaient joliment sur ses épaules, elle était charmante, mais moins belle que ce à quoi je m'étais attendu. Ils m'avaient quand même dit : « La plus belle femme du Caire. »

— Vous étiez déjà venu en Égypte ?

J'étais surpris par ce vouvoiement. Nous avions à peu près le même âge.

— Oui. Une fois. Mais c'était pour faire du tourisme, et c'était il y a assez longtemps…

Elle me faisait un sourire poli, mais elle se foutait complètement de ce que je lui disais, et c'était très bien ainsi.

— Ce qui m'a vraiment surpris, ai-je poursuivi, surtout à l'intention de Jérémie, c'est ce que j'ai entendu tout à l'heure, lors de la discussion…

— Quoi ?

— Sur Flaubert ! Je n'avais pas imaginé que c'était à ce point… Parce qu'à travers Flaubert, c'est finalement tout l'Occident qu'ils condamnent !

— T'as l'air de le découvrir… Ce sont des bruits de guerre ! commenta Jérémie.

J'ai voulu expliquer à Lamia ce qui s'était dit, mais elle m'interrompit immédiatement : elle y avait assisté.

— Et encore, dit-elle, la censure en littérature n'est pas la plus terrible ! C'est dans les médias que ça devient catastrophique !

— Ah, bon ?

— Pour ne donner qu'un seul exemple : demain, vous irez faire une radio, je crois...

Jérémie, qui était soudain devenu timide, infirma d'un geste de la tête : l'émission était finalement annulée.

— C'est l'une des émissions phare de la radio nationale. Eh bien, les locaux de cette radio se trouvent dans le bâtiment du ministère de l'Intérieur...

— Effectivement, c'est bizarre...

— Et le type qui devait vous interviewer a en réalité deux métiers... Il est vedette de radio, donc. Mais il est aussi... général de police !

— Non ?

— Si.

Elle esquissa enfin un sourire un peu plus sincère. Mais déjà son regard cherchait dans le fond de la salle : les derniers invités arrivaient. Elle se précipita alors vers eux pour les accueillir. De loin, je reconnus M. Cotté.

On prit place. Je fis en sorte de me retrouver à côté de Jérémie avec qui j'avais envie de parler. Malheureusement pour moi, la femme de l'attaché culturel se greffa sur la droite. Cotté s'installa à l'autre bout de la table, et je vis Lamia se précipiter une fois encore pour s'asseoir à côté de lui. Son manège m'avait semblé un peu grossier. C'est vrai que pour une fille qui voulait faire de la politique, Cotté était quelqu'un à se mettre dans la poche. Manifestement, elle savait parfaitement ce qu'elle voulait ; je dirais même qu'elle incarnait l'ambitieuse un peu hautaine par excellence. Et je me suis demandé ce qu'ils lui trouvaient tous.

Pendant le dîner, Jérémie me parla un peu de sa vie à Paris. Je voulais savoir pourquoi il avait décidé de partir deux ans à l'étranger, lui qui prétendait n'avoir aucune ambition dans la représentation internationale. Il me raconta alors qu'il était parti sur un coup de tête. Pour se guérir d'une histoire d'amour, m'avoua-t-il presque immédiatement. « C'était une fille assez incroyable. Quand je l'ai rencontrée, elle vivait déjà avec un type. Un con – comme par hasard. Pendant six mois, elle n'a pas arrêté de le quitter, de se disputer avec moi, de retourner avec lui, de me quitter à nouveau... J'étais épuisé. C'est un peu débile, mais je crois que je n'ai jamais autant souffert. Je ne savais même pas qu'on pouvait autant souffrir, je veux dire, que c'était *physiquement* possible. »

Il paraissait assez ému, et je lui ai resservi un peu de vin. En fait, j'étais étonné de la facilité avec laquelle il nous faisait ces confidences. Moi, j'aurais inventé une autre histoire, un prétexte facile, quelque chose – j'aurais menti, moi. En tout cas, je n'aurais confié ma souffrance à personne, pour être absolument certain de ne chercher ni à l'exploiter ni à la dégrader. J'ai toujours été surpris par cette obstination collective à faire état de ses problèmes, de ses peines et de ses tracas. Chacun estime devoir *vider son sac* au grand jour. Aujourd'hui, tout le monde rêve d'avoir une âme publique.

J'aurais donc pu être agacé par ce que disait Jérémie. Pourtant, en l'écoutant, je réalisais qu'il m'était de plus en plus sympathique. Tout le monde ne part pas à l'autre bout du monde pour fuir une femme, après tout. Il faut avoir une certaine capacité de souffrance. J'aurais voulu lui dire qu'il fallait la taire, cette souffrance, la conserver en soi pour ne pas l'abîmer. Qu'elle se contente d'aiguiser l'attention que l'on porte aux choses, au moindre objet, à la moindre coïncidence, qu'elle redonne à chacun de nos instants déchirés la profondeur et la plénitude dont les avait privés notre habitude de vivre – mais dans le secret.

— C'était le genre de fille un peu folle, continuait-il, une fille qui sortait toujours en boîte, qui était complètement défoncée, elle cramait sa vie, et tout le reste autour. L'inverse de ce qui m'intéresse d'habitude. Au fond, je crois que la capacité à aimer quelqu'un ne résiste presque jamais à ce mode de vie déjanté. Et elle faisait justement partie de ces femmes modernes profondément égocentriques qui sont devenues incapables d'amour, parce que trop obsédées par elles-mêmes ! Moi, de mon côté, je l'aimais autant que je la détestais. Le mieux, tu vois, c'était donc de me tirer. Et le plus loin possible.

— De toute façon, dit alors Martin avec solennité, aujourd'hui les choses se sont inversées. Ce sont les hommes qui sont devenus romantiques...

J'ai trouvé cette intervention assez surprenante. Surtout venant de sa part. (Je me suis alors souvenu que dans l'un de ses romans, le premier me semble-t-il, le personnage central prend rapidement le surnom, subtile allusion littéraire, de « Jean-Foutre la Bite » – un grand romantique.)

— Et alors ? Le fait de partir...

— Oui, ça m'a libéré, c'est sûr. Même si je conserverai toujours pour cette fille des sanglots coincés dans la gorge...

J'ai voulu attraper une autre bouteille de vin. Mais la femme de l'attaché culturel, qui cherchait à entrer dans la discussion depuis pratiquement vingt minutes, l'attrapa avant moi et remplit tous nos verres. C'était l'occasion rêvée pour elle. Il fallut donc échanger quelques phrases, trinquer à son hospitalité et à son idée, exceptionnelle, de faire le dîner dans ce restaurant, et non chez elle. (De l'autre côté de la table, j'entendais Cotté parler de Juppé, qui était un de ses amis. Il considérait que la peine retenue contre lui était complètement extravagante ! Selon lui, le pouvoir judiciaire faisait la guerre au pouvoir politique ! C'était sa théorie à lui ; Lamia la trouvait très subtile, très personnelle et sans doute très fondée…) La femme de l'attaché engagea alors une discussion en arabe avec un des écrivains égyptiens, et notre conversation put enfin reprendre :

— Après j'ai rencontré une autre fille, continua Jérémie. Une Française qui travaille au Centre français d'Alexandrie. On est restés deux mois ensemble. C'était vraiment bien. Sauf à la fin où ça a été une catastrophe. On est partis quelques jours à Assouan. En vacances au bord du lac. Elle a fait la gueule pendant presque tout le voyage. Le truc horrible. C'était déjà foutu, en fait. Mais je ne voulais pas me l'avouer… Et au retour, elle m'a dit que c'était fini.

— Et tu la vois toujours ?

— Pas tellement. Mais ça va ! Je ne suis pas triste. C'est surtout son corps qui me manque…

— De toute façon, dit encore Martin qui avait trop bu, j'ai l'impression qu'en Égypte, ce sont surtout les corps qui manquent ! Toi, par exemple, tu n'as jamais couché avec une Égyptienne…

— Non. Je t'ai dit que ça ne se faisait pas trop.

— Pas même avec une…

Jérémie était un peu gêné.

— Hein ?

— À ton avis, est-ce qu'un Occidental peut se taper une pute ?

Jérémie eut un rire rétronasal de cancre à cause du mot « pute ». Il n'avait pas l'habitude de parler de ces choses aussi simplement. Il lança un regard inquiet vers la femme de l'attaché pour s'assurer qu'elle n'avait rien entendu.

— Je ne sais pas.

— Tu ne sais pas ?

— Non. Mais je connais un type qui connaît bien tout ça, si ça t'intéresse...

— Ah ?

— Oui. Il s'appelle Essam. Un type qui sait tout ce qui se passe au Caire. Lui, il pourrait te répondre...

— Tu sais ce qui serait bien ? reprit Martin. Ce serait d'organiser une petite virée ce soir.

— Hein ? Ce soir ? Après le dîner, tu veux dire ?

— Oui. Pourquoi pas ?

— Je peux toujours appeler ce type, si tu veux. Mais bon...

— T'as son numéro avec toi ?

— Oui. Il te renseignera sur les endroits où il y a des danseuses, tout ça...

Martin avait l'air ravi. Il nous parla ensuite des virées d'Aragon et de Drieu dans le Paris des années trente. Il s'acharnait à trouver dans la grande littérature une justification à son obsession personnelle – ce qui prouvait qu'il n'était pas si à l'aise que ça avec lui-même.

Après le dessert, Jérémie ne parvint pas à joindre Essam. Il était en permanence sur son répondeur.

— Ce qu'on peut faire, c'est aller dans un bar que je connais, et on finira bien par le joindre...

On se leva de table les uns après les autres. Martin était manifestement excité par l'idée de cette virée dans les bas-fonds du Caire. J'avais aussi un peu trop bu. Le pire était donc à craindre. De l'autre bout de la table, Lamia me regardait droit dans les yeux. Je ne comprenais pas ce qu'elle cherchait à me dire. Quant à Cotté, il était en plein déploiement de sa théorie sur la bibliothèque d'Alexandrie, ça avait l'air passionnant.

— On va essayer de ne prendre qu'une seule voiture, dit Jérémie.

— Qui vient avec nous ?

— Je ne sais pas.

Mathilde dit qu'elle était crevée – ce qui me donna l'occasion de me souvenir qu'elle existait.

— Lamia ne viendra pas, je pense. Elle ne sort jamais.

— On ne sera que trois alors ?

— Quatre avec Thibault, s'il nous rejoint.

Je suis quand même allé voir Lamia pour la prévenir qu'on partait. Tu ne viens pas avec nous ? Cotté était comme suspendu à sa réponse. Un peu gênée, elle me répondit qu'elle préférait rentrer, elle était fatiguée – mais demain peut-être ? Cotté intervint alors : « J'ai oublié de vous demander : il y a demain soir un dîner chez l'ambassadeur... Je ne serai pas accompagné, et je me suis dit que peut-être vous accepteriez d'y aller avec moi... »

Lamia lui fit un large sourire : « Avec grand plaisir. » Il n'y avait pas à dire, elle était forte, elle obtenait tout ce qu'elle voulait. Je me suis demandé si elle avait conscience qu'elle était en train de se vendre. Sans doute pas. La prostitution est partout. D'ailleurs, chacun est aujourd'hui contraint, d'une façon ou d'une autre, de se prostituer, c'est-à-dire de vivre selon des règles qui rappellent celles de la prostitution. Sur ce point, Lamia n'était pas une exception : elle était même tristement commune. Ils se sont levés au même moment, et nous nous sommes dirigés vers la sortie. Les autres attendaient déjà dehors sur la passerelle. La lune ciselée de l'islam rayonnait dans le ciel.

— Tu parles arabe ? ai-je demandé à Lamia.

— Oui, c'est ma langue maternelle. En fait, mes parents sont marocains. Je suis née en France, mais j'ai toujours parlé arabe avec ma famille.

Elle expliqua, en se tournant surtout vers Cotté, qu'avant de venir au Caire, il y a seulement quelques mois, elle enseignait justement l'arabe à Paris (« Aux

Langues-O », précisa-t-elle avec une certaine fierté), mais ce qui l'intéressait vraiment, c'était la politique.

— Oui, on avait remarqué…

Elle me fusilla du regard. Cotté resta silencieux, sans doute mal à l'aise. J'ai ensuite rejoint Jérémie et les autres qui attendaient sur le bord de la route. Un taxi s'arrêta un instant plus tard. On se tassa à trois dedans. Lamia parlait maintenant avec l'attaché culturel. Elle me regardait de loin avec une certaine insistance. Elle se vengerait. Oui, elle voudrait sans doute prendre sa revanche, et c'était pour elle pareil que de me désirer. Car elle était de celles, je crois, auxquelles il faut d'abord déplaire avant de pouvoir plaire. Mais je n'ignorais pas que l'agacement qu'elle suscitait en moi était avant tout une façon de ne pas m'avouer que je la trouvais séduisante. Et inaccessible. Je fermai donc la portière du taxi. Jérémie indiqua au chauffeur l'adresse de cet endroit de perdition, et l'instant d'après, nous traversions Le Caire à toute allure, fenêtres ouvertes.

6.

Au milieu de l'océan

Dans le taxi, j'ai repensé à ce que nous avait dit Martin. J'étais assez étonné qu'il évoque les virées d'Aragon et de Drieu, et non celles de Flaubert et de Du Camp qui présentaient l'avantage, pour nous, de se dérouler dans les bordels d'Égypte et qui, à cet égard, auraient pu nous servir de référence poétique pour la soirée, voire même, en admettant que les choses n'aient pas trop changé, de mode d'emploi. À l'époque, Flaubert n'est pas encore Flaubert, mais il rêve de devenir écrivain, et c'est déjà la littérature qui s'écrit sous leurs yeux : le 6 mars 1850, ils rencontrent à Esneh une prostituée venue de Damas, Koutchouk-Hanem, qui les marque tellement que l'un et l'autre la décriront dans leurs œuvres respectives (*Le Nil* pour Du Camp et *Voyage en Égypte* pour Flaubert) – de la même façon que l'univers féminin oriental a été encensé par les peintres orientalistes et les écrivains voyageurs. Mais Du Camp est soucieux de se faire une bonne réputation et ne publie que des versions édulcorées de leur soirée du 6 mars. *Je la vis en levant la tête ; ce fut comme une apparition. Debout, sous les derniers rayons de soleil qui l'enveloppaient de lumière, vêtue d'une simple petite chemise en gaze couleur brun de Madère et de larges pantalons en cotonnade blanche à raies roses, les pieds nus dans ses babouches, les épaules couvertes par les flots de soie bleue qui formaient le gland de son* tarbouch, *le cou serré de trois colliers à gros grains, les bras cerclés de bracelets reluisants, les oreilles ornées de boucles trapézoïdales chargées de lamelles d'or, les cheveux châtains, tressés et retenus sur le front par un ruban noir, blanche, solide, joyeuse, pleine de jeunesse et de vie, elle était superbe.* Comme on le voit, ça manque un peu d'action.

C'est dans ses *Notes de voyage*, publiées après sa mort, que Flaubert décrit la même soirée avec une entière liberté. Le manuscrit a été fortement censuré par sa nièce. Il raconte comment il suit cette femme dans les entrailles d'un palais sordide. Puis, après une danse lascive, comment il lui consent plusieurs gamahuchades. *Je me suis senti féroce,* dit-il. Il parle aussi de la tendresse qu'il ressent pour cette prostituée qu'il regarde maintenant dormir en lui tenant la main. Il est contre elle et songe à d'autres nuits où il regardait d'autres femmes dormir – et toutes les autres nuits qu'il a passées, blanches. Il repense à tout, il s'abîme de tristesses et de rêveries – il s'amuse à tuer sur le mur des punaises qui marchent, faisant ainsi sur cette muraille blanchie de longues arabesques rouge noir. *Nous nous sommes aimés, je le crois du moins...* Je me suis souvenu de cette formule ambiguë, sublime, élevant ce simple coup de reins à une autre dimension, à cette tristesse de devoir bientôt partir et abandonner l'extrême sensualité, et c'était précisément cette formule-là, ajoutée à la description précise de la culbute, que la sinistre nièce avait décidé de censurer. C'était comme interdire *Madame Bovary*.

J'ai repensé à ce que Martin avait dit à propos de l'intransigeance de l'islam vis-à-vis de la fiction romanesque. Je n'étais pas d'accord avec lui : pour moi, ce n'était pas la « morale religieuse à la con » qui était en cause, mais la connerie tout court, c'est-à-dire la certitude de détenir la vérité et de nier, en son nom, tout ce qui la contredit. À cet égard, la nièce de Flaubert était aussi dangereuse que le cheik du Caire.

— C'est quoi alors cet endroit ? gueulait Martin.

— Je n'y suis jamais allé, mais on m'en a parlé. On verra. Il paraît qu'il y a des danseuses…

On traversa le Nil. Le taxi nous déposa place Mahomet. Les rues étaient désertes. On remonta à pied la rue de Kephren. Les vitrines des magasins étaient encore allumées ; certains mannequins portaient aussi le voile.

À un moment, on prit à droite, dans un labyrinthe de ruelles.

— Ça ne craint pas la nuit ?

— Non, pas du tout. En général, au Caire, on est en complète sécurité. Il n'y a jamais d'agressions.

— Ça, c'est agréable, dit Martin.

On entra enfin dans une sorte de bar miteux dont j'ai oublié le nom. Un type nous accueillit immédiatement et nous fit descendre dans une cave encore plus inquiétante. Ce qui nous attendait était plutôt décevant. Des amplis crachaient de la mauvaise musique saturée. Il n'y avait pratiquement personne. Mais une femme dansait, effectivement.

On nous désigna une table au fond de la salle.

— C'est moyen, diagnostiqua Jérémie.

On commanda trois bières, qu'on nous apporta sur-le-champ. Ainsi que des pistaches dans de larges serviettes en papier. La danseuse était une espèce de boudin envoilé ; on détourna vite le regard. En revanche, l'une des serveuses était assez jolie. Elle s'assit entre Martin et Jérémie. Elle ne parlait pas anglais et semblait complètement indifférente à notre présence : elle se contentait de regarder la danseuse, sans doute sa copine, et nous préparait des pistaches avec nonchalance. Puis elle se mit en tête de nous les faire avaler et nous les plaça directement dans la bouche d'une façon assez sensuelle, il faut le reconnaître. La danseuse fit enfin une pause. Le silence revenu, malgré le sifflement dans les oreilles, il était à nouveau possible de parler.

— Elle est pas mal la serveuse...

Elle nous resservait de la bière à chaque gorgée tout en nous dévorant des yeux.

— C'est vrai qu'elle est jolie.

— Mais t'as vu comment elle nous regarde ?

— De toute façon, depuis le début, j'ai remarqué que, dans ce pays, les filles regardent les hommes avec beaucoup d'insistance... C'est troublant, on ne sait pas ce qu'elles veulent. En Europe, par exemple, le même regard voudrait dire : « Viens, on monte, j'ai envie de coucher avec toi ! » Alors forcément, quand on est européen, ça déstabilise...

Martin se plaisait beaucoup, je crois, dans ce rôle d'Européen déçu, fragile et obsédé. À un moment, passée de l'autre côté, la serveuse posa sa main sur la cuisse de Jérémie.

— Discute avec elle, toi qui parles arabe...

— Pour lui dire quoi ?

— Je ne sais pas. Drague-la. Même si tu n'as aucune chance, c'est intéressant de voir comment elle réagit.

La musique reprit, et une nouvelle danseuse monta sur ce que l'on pourrait appeler, faute d'un terme plus adéquat, la scène. Sur le côté, Jérémie parlait à l'oreille de la serveuse. Elle riait, mais il me semblait que ce n'était pas un bon signe.

— Qu'est-ce que tu lui as dit ?

— Je lui ai demandé si elle voulait aller prendre un verre avec moi, ailleurs...

— Et alors ?

— Elle m'a simplement dit non, et elle est partie.

Décidément, ce n'était pas très amical comme bar. Jérémie s'isola dans les toilettes pour tenter d'appeler

Essam. Il revint un instant plus tard, victorieux. On avait rendez-vous avec lui à dix minutes d'ici. Thibault aussi était censé nous rejoindre. On finit nos verres en vitesse et on paya juste avant de devenir sourds.

Essam était le genre de type qui arrive toujours en retard, et au mauvais endroit – nous pouvions toujours l'attendre. Le rendez-vous était fixé sur une place dont j'ai oublié le nom, non loin de là. Martin m'expliquait que c'était pour lui la meilleure façon de découvrir une ville : visiter ses sous-sols et ses bas-fonds. Une autre justification. Souvent, des types venaient nous demander si on avait besoin d'un conseil, puisqu'ils nous voyaient, là, au milieu d'une place, en train d'attendre quelqu'un qui ne viendrait peut-être pas. J'étais assez surpris par leur gentillesse, et surtout par le climat de sécurité qui régnait dans ce quartier perdu.

— C'est un système très répressif, dit Jérémie. Il y a des flics à chaque coin de rue. Alors forcément les gens se tiennent tranquilles…

Pourtant, deux jours avant notre arrivée, un groupe de quatre touristes s'était fait poignarder par des extrémistes, un peu au sud du Caire. On entendait souvent dire, ici ou là, que le système répressif était le seul mode de gouvernement adapté aux pays de cette région ; en tout cas, c'était le seul qui les protégeait de l'intégrisme. Ce qui n'aurait pas été le cas de la démocratie. L'Égypte vivait essentiellement de l'activité touristique ; il fallait donc tout faire pour assurer une certaine sécurité, qui est la condition même du tourisme. À cet égard, la répression avait une vertu économique directe : elle participait provisoirement au développement du pays. De plus, toute la population qui vivait de cette activité avait une relation « intéressée » avec l'Occident et n'était généralement pas tentée par l'intégrisme musulman. Mais au fond, me disais-je, il suffirait que le tourisme chute dramatiquement pour que toute cette population se retrouve démunie et se tourne vers le fanatisme. D'où la nécessité, pour les intégristes, d'organiser régulièrement des attentats contre les touristes. D'où la nécessité, pour l'État, d'instaurer un pouvoir fort.

Thibault était maintenant avec nous. Il avait soi-disant dîné avec une fille de l'ambassade. Jérémie passa un nouveau coup de fil à Essam. Il arrivait d'un instant à l'autre. Et quelques minutes plus tard, effectivement, une voiture blanche s'arrêta devant nous dans un tumulte inquiétant. Deux types en sortirent ; l'un des deux était Essam, en lunettes de soleil. On se serra la main. Il nous regardait un peu de haut, derrière ses verres teintés, comme seuls peuvent se le permettre les sauveurs. Jérémie lui parla un long moment en arabe. Il était censé lui expliquer ce que nous cherchions. D'ailleurs, que cherchions-nous ? À comprendre, pour ma part. Je me souvenais de ce que m'avait dit Thibault la veille. Selon lui, l'islam était parvenu à complètement réguler la vie sociale et sexuelle. En fait, j'étais certain que le sexe était aussi présent qu'ailleurs, mais qu'il était simplement *caché*. Il suffisait donc de le débusquer.

— Vous pouvez toujours chercher, dit encore Thibault, vous ne trouverez rien au Caire...

Essam nous proposa de monter dans sa voiture. Son pote avait l'air bourré, et il nous sembla plus prudent de les suivre en taxi – une décision que nous n'avons pas regrettée par la suite.

— Alors, on va où maintenant ? ai-je demandé, une fois dans le taxi.

— Ils nous emmènent dans un endroit assez chic, d'après ce qu'ils m'ont dit, un endroit où il y a exactement ce que nous cherchons...

— Et c'est loin ?

— C'est sur la route de Guizèh, à un quart d'heure d'ici.

— Putain, je suis censé y aller demain matin pour la visite des Pyramides ! se rappela Martin. Je vais devoir me réveiller tôt...

J'ai regardé ma montre ; il était bientôt une heure et demie.

— Tu devrais presque dormir sur place, lui ai-je alors suggéré.

La voiture blanche s'arrêta sur le côté. Essam en sortit et entra dans un café. Il resta un certain temps à discuter avec un autre type tout en nous regardant. On ne savait pas ce qui se passait.

— C'est un de tes amis, cet Essam ? demanda Martin.

— Oui, enfin je le connais un peu. J'ai travaillé avec son frère sur un projet pour l'ambassade...

— Donc il est sûr... Je veux dire, il ne nous amène pas dans un faux plan ?

— Non, non... Je ne pense pas. Pourquoi ?

La voiture blanche redémarra à toute allure. Je commençais à avoir une mauvaise intuition, comme si une menace sourde se préparait lentement dans la nuit. Il me semblait qu'on allait pénétrer dans un autre monde. Mais j'étais curieux.

Ceci dit, on roulait un peu trop vite à mon goût. Je me suis souvenu que Martin m'avait confié qu'il ne tenait pas plus que ça à la vie. Je ne pouvais pas en dire autant. Ce n'était pas *ma vie* qui me semblait avoir une quelconque valeur, mais la vie en général, le fait d'être vivant, ce qui est suffisant pour avoir peur de la mort. Pourquoi allait-on si vite ? On n'était pas pressés. J'avais maintenant des visions d'accident, et je m'accrochais tant que faire se peut à la poignée. Je pouvais presque sentir la tôle nous compresser, faire de la bouillie avec nos quatre petites existences, sentir la ferraille nous rentrer dans la chair et nous écraser, le sang dans les yeux, et la mort. Mes parents.

Dix minutes plus tard, les deux voitures se rangeaient sur le côté dans un nuage de poussière. Essam nous montra du doigt la devanture illuminée d'une sorte de cabaret. D'après ce que j'avais compris, on n'était plus au Caire, mais dans ses environs.

— Il dit que c'est là, nous expliqua Jérémie. Mais que l'entrée est assez chère…

— C'est bon, on a nos *per diems* !

Martin avait l'air ivre, et encore une fois, envoyant l'euphorie qui le traversait, je n'ai pu m'empêcher de rire – mais je crois maintenant que c'était surtout un rire nerveux.

Essam nous dit d'attendre dehors ; il allait d'abord voir le patron pour discuter avec lui. Il revint un instant plus tard pour nous faire signe d'entrer. Il avait un large sourire. Qu'y avait-il derrière cette devanture qui brillait sur le bord de la route ? Il me sembla sur le moment que ce ne pouvait être qu'une chose glauque, mais après tout, c'était un peu ce qu'on recherchait : une « chose glauque ».

Une dizaine d'Arabes nous accueillit avec de grands sourires intéressés. On nous proposa de passer à la caisse ; c'était quatre cents livres par personne. Martin insista auprès de Jérémie pour qu'on puisse voir à quoi ça ressemblait avant de payer, mais ils ne voulaient pas. Il fallut donc faire semblant de partir pour qu'on nous retienne par le bras et qu'on accepte de nous montrer la « grande salle de spectacle » – c'est comme ça qu'il l'appelait. Et effectivement, le nom était bien trouvé : deux filles, certes potables, dansaient sur une musique criarde, mais parmi le public, une centaine de types affalés devant leurs bières, la bouche ouverte sur un fantasme interdit, celui d'une nudité à peine dévoilée, les épaules, les bras, le nombril, rien de plus. Ils semblaient complètement hypnotisés par ce spectacle osé, comme s'ils avaient cherché à fixer le maximum d'images dans leur esprit pour pouvoir ensuite les ramener chez eux et en profiter plus intimement jusqu'au petit matin.

— Ça n'a aucun intérêt, dit tout de suite Martin, manifestement déçu.

Essam semblait vexé par sa réaction ; c'était selon lui exactement ce que nous avions demandé.

— Pas du tout, répondit Martin à l'intention de Jérémie qui se faisait le traducteur. Ça ressemble à une musette de province, on s'en fout complètement.

Essam s'énervait un peu. Il voulait savoir ce qu'on cherchait exactement.

— Dis-lui qu'on voudrait voir l'envers du décor...

On se retrouva tous sur le bord de la route à discuter. Jérémie nous expliqua qu'Essam ne comprenait pas ce qu'on entendait par « envers du décor », il fallait dire les choses précisément. Le chauffeur du taxi était toujours parmi nous. Il avait préféré attendre devant le cabaret pour nous ramener au Caire. Il avait l'air content de nous voir déjà disposés à changer d'endroit.

— Dis-lui clairement qu'on cherche des filles, lâcha enfin Martin, de plus en plus déterminé.

Jérémie était affreusement gêné. Il ne savait pas comment s'en sortir, le mot était presque imprononçable pour lui, d'autant plus que le frère d'Essam était vaguement un contact professionnel, mais je sentais qu'il n'était pas contre cette idée d'aller voir encore plus loin. Thibault, lui, n'arrêtait pas de répéter qu'il n'y avait pas de sexe au Caire. J'étais pour ma part en retrait, et je trouvais cette soirée de plus en plus drôle à observer : oui, finalement, c'était un peu Aragon et

Drieu – mais piteusement privés de leurs bordels et de leur génie.

— Il connaît un endroit, nous dit enfin Jérémie. Je crois qu'il a enfin compris ce qu'on voulait...

On se gara, dix minutes plus tard, devant un hôtel délabré. Quelle heure pouvait-il être ? La soirée semblait sans fin, et cette nuit ne déboucherait sur aucune aube. L'enseigne du Shéhérazade luttait péniblement contre l'extinction totale.

— C'est le nom de l'héroïne des *Mille et Une Nuits*, rappela Jérémie. D'après Essam, il y a tout ce qu'on veut ici, mais si on n'est pas contents, il connaît un bar spécialisé juste à côté...

Dans le hall de l'hôtel, Essam discuta un instant avec un type aux cheveux blancs. Et je me suis dit qu'il était impossible d'échouer ici sans bien connaître la ville ; c'était sans doute ça, l'envers du décor. On nous pria d'entrer dans un gigantesque ascenseur. La suite se passerait au septième étage. Au moment où les portes se fermèrent sur nous, je constatai que le chauffeur du taxi était toujours là, et cela me fit rire. Il avait décidé de nous suivre jusqu'au bout de la nuit.

— C'est vraiment une drôle d'ambiance, dit soudain Jérémie, fébrile.

Au septième étage, les portes s'ouvrirent sur un salon en velours rouge. Plusieurs posters de femmes aux couleurs kitsch étaient encadrés. L'homme aux cheveux blancs expliqua à Jérémie comment fonctionnaient les choses. J'étais un peu mal à l'aise. Martin, lui, remettait le col de sa chemise devant un petit miroir.

— Bon, on va voir à quoi ça ressemble...

Il fallut suivre un autre type à travers un long couloir. Essam parlait avec son pote en arabe. On nous fit entrer dans une grande salle, qui ressemblait à une salle de fête, ou à un grand gymnase, et toujours la même déception : une fille boulotte dansait devant des types inertes et bouche bée ; quant à la musique, elle était insupportable tellement elle saturait.

— C'est pas vrai ! fit Martin.

L'homme aux cheveux blancs semblait comprendre ce qu'on disait et s'adressa à Jérémie.

— Il ne savait pas exactement ce qu'on cherchait, nous expliqua-t-il. Mais maintenant, il a compris… Il y a un autre endroit plus intime, à l'étage du dessus. Il nous demande de le suivre.

On traversa donc le couloir dans le sens inverse. Décidément, on était prêts à faire des kilomètres à pied pour ne pas donner tort à Flaubert… Puis on nous guida à travers un escalier mal éclairé quine semblait pas du tout destiné aux touristes, ni même, à vrai dire, aux clients de l'hôtel. « *Come on, come on* », répétait en boucle l'homme aux cheveux blancs, et j'avais l'impression, je ne sais pourquoi, qu'il allait nous vendre ses propres filles.

On arriva enfin au huitième étage qui ne ressemblait plus du tout à un hôtel.

— C'est sans doute là que vivent les employés, dit Jérémie.

— C'est ce que je me disais.

— Tu vas enfin pouvoir trouver ce que tu cherches, Martin.

— Comme si j'étais le seul…

— Non ! Il y en a aussi un autre, dis-je en montrant le chauffeur de taxi, interminablement là.

Jérémie eut un rire exagéré, ce qui était une façon artificielle de prendre un peu de distance par rapport à la situation. Mais ce rire, encore une fois, se révéla inutile. L'homme aux cheveux blancs, tout content de lui, nous fit entrer dans une autre salle, plus petite que celle du septième, il est vrai, mais animée du même cauchemar.

— C'est vraiment frustrant, dit Martin.

Essam évoqua le bar spécialisé dont il nous avait déjà parlé. J'étais un peu fatigué, mais on ne pouvait pas en rester là. L'homme aux cheveux blancs tenta de nous retenir en nous offrant des verres, mais il était trop tard, nous avions pris notre décision. Au bonheur du chauffeur qui allait reprendre son taxi.

— Ça n'a pas grand-chose à voir avec les *Mille et Une Nuits*, nota Thibault, perspicace. Mais je vous l'ai dit : l'islam voue désormais une haine absolue à tout ce qui se rapproche de la volupté…

Le chauffeur nous déposa sous un pont, à cinq minutes de là. La voiture d'Essam mit un certain temps avant de nous rejoindre ; ils s'étaient soi-disant perdus. On remercia le chauffeur, il pouvait maintenant rentrer chez lui. Il était déjà trois heures et demie du matin. Il ne voulait pas, mais Jérémie insista poliment. Le quartier était sordide. Sans doute très pauvre. J'ai imaginé des filles sales, avec des caries. On marcha jusqu'au bar en question. Essam entra seul, et, dans le bâillement de la porte, j'aperçus effectivement plusieurs filles. Le pote d'Essam, qui n'était décidément pas très bavard, expliqua à Jérémie qu'on était censés rester dehors le temps de la négociation : c'était comme ça que les choses se passaient ici. Je me suis alors dit qu'ils connaissaient très bien cet endroit. Pourquoi avaient-ils mis tant de temps à nous y conduire ? Je n'ai pas trouvé de réponse à cette question, et la porte du bar s'est ouverte.

On nous installa autour d'une table basse. Cinq filles vinrent immédiatement autour de nous : elles étaient toutes horribles et, pour ainsi dire, définitivement impraticables. Mais nous l'avions bien mérité, après tout. J'avais presque envie d'en rire maintenant. Elles nous faisaient de grands sourires surmaquillés et tentaient maladroitement de se rendre séduisantes, ce qui était tragiquement impossible. On nous apporta à boire. La nappe posée sur la petite table était tachée. Une impression de saleté se dégageait de l'ensemble. C'était affreusement sordide. Voilà, on avait vu, on pouvait maintenant partir. Pas une seconde l'idée ne me vint que Jérémie ou Martin pouvaient s'intéresser à l'une de ces filles. Elles n'étaient déjà plus très jeunes. Et cela me fit penser aux anciens bordels, en France, tels que je me les représentais, en tout cas. On m'avait plusieurs fois raconté comment ça se passait : ces femmes qui venaient initier les jeunes hommes dans une atmosphère légère, douce et finalement assez joyeuse – l'inverse de la prostitution actuelle, en somme.

Une fille s'est assise à côté de moi. Je n'avais pas du tout envie de parler avec elle. J'étais mal à l'aise et faisais semblant de regarder dans l'autre direction. Elle me posa deux trois questions en anglais auxquelles je ne répondis pratiquement pas. Mon objectif consistait maintenant à finir mon verre le plus vite possible pour pouvoir me tirer. Entre-temps, la fille, qui voulait sans doute faire plus ample connaissance, prit une poignée de cacahouètes et tenta de me la mettre dans la bouche, ce qui me donna l'impression d'être une oie qu'on espérait gaver. Je dus me débattre. Voyant ma résistance, elle engouffra sensuellement sa main dans son propre gosier sans pour autant cesser de me dévorer des yeux – c'était, je le devinais à son regard, une façon de se rendre encore plus désirable. J'ai engagé la discussion avec mon voisin de droite, pour la fuir, mais le pote d'Essam n'était pas très bavard, d'autant plus qu'il ne parlait que l'arabe. Je me sentis seul, tout à coup. Pour accentuer encore ma gêne, une autre prostituée se leva et se mit à danser devant nous, puis elle tenta de me prendre la main pour que je vienne danser avec elle. Elle insistait tellement que je dus me lever pour aller m'asseoir de l'autre côté de la table.

— Bon, on va bientôt y aller, non ?

Mais Martin et Jérémie étaient en pleine négociation. Une sixième fille, plus jolie que les autres, et surtout beaucoup plus jeune, s'était assise à côté d'eux. Elle parlait avec Jérémie en arabe.

— Demande-lui si elle accepterait de venir avec moi au Marriott, dit Martin sans perdre de temps pour ne pas rester en dehors de la discussion.

Jérémie s'exécuta et se mit à rire.

— Qu'est-ce qu'elle a dit ?

— Elle a dit : « Et toi, je ne te plais pas ? »

Martin n'en revenait pas.

— Pourquoi elle dit ça ? Ça n'a rien à voir avec la question. Et moi, je ne lui plais pas ? Demande-lui pourquoi elle dit ça.

Mais Jérémie ne nous écoutait plus. On avait l'impression qu'il était entré dans un jeu réel de séduction et qu'il avait oublié à qui il avait affaire. Ils parlaient en arabe, tous les deux, s'abstenant complètement de nous faire la traduction. Martin se tourna alors vers moi ; son regard tremblait de rage :

— Mais qu'est-ce qu'elles ont les filles dans ce pays ? Je suis dégoûté... C'est quand même la deuxième fois que je me fais jeter par une pute, tu te rends compte... Et regarde les autres : je ne vais quand même pas me finir avec un de ces thons !

Il avait l'air vraiment désespéré ; c'était horrible à voir. J'avais même l'impression qu'il allait se mettre à chialer, et j'ai repensé à son regard, la veille, en sortant de l'*Egyptian Night*. Les autres filles, constatant que nous n'étions pas trop communicatifs, s'étaient maintenant écartées. Elles attendaient, assises à quelques mètres de nous, qu'on vienne éventuellement les chercher.

— Bon, qu'est-ce qu'on fait ? demandai-je.

— Je ne sais pas. On est au bout du bout, là, commenta Thibault.

— On va peut-être rentrer, non ?

— Tu sais ce qui me fait le plus de mal, me dit alors Martin.

— Quoi ?

— C'est de me dire que cette fille, quand elle me regarde, ressent exactement ce que je ressens en regardant les autres moches du fond, là : du dégoût.

— Mais non…

— Et je vais te dire un truc : je crois qu'elle a raison de ressentir ce qu'elle ressent. Moi aussi, d'une certaine façon, c'est ce que je ressens en me regardant… Du dégoût. C'est vrai. T'as vu ma tête ?

Je n'ai rien trouvé à lui répondre. C'est vrai qu'il avait un peu la tête d'une grenouille. J'avais envie de partir maintenant. Et de le sortir de là, de ce spectacle atroce. La fille s'éloigna un instant.

— Alors, qu'est-ce que vous vous êtes dit ?

— Rien, on a discuté…

— Tu vas la ramener ?

— Je ne sais pas.

Jérémie en avait manifestement très envie, mais il était encore gêné en face de nous.

— T'as vu comment elle m'a ignoré ? reprit Martin, avec un regard de meurtrier.

Il ne lui répondit même pas.

— J'hésite, en fait.

— Comme tu veux, mais décide-toi. Nous, on aimerait bien partir maintenant.

La fille revenait déjà vers nous. Jérémie parla un long moment avec elle. Je tentais pour ma part de faire un geste au serveur pour qu'il m'apporte l'addition. On se leva enfin, bientôt délivrés. Jérémie avait l'air dans tous ses états.

— Putain ! Vous savez ce qu'elle m'a dit ?

— Non !

— Je lui ai demandé si elle voulait venir avec moi.

— Et alors ?

— Elle m'a répondu qu'on ne se connaissait pas assez...

— Laisse tomber ! De toute façon, elles ne baisent pas dans ce pays, dit Thibault en expert.

— Elle m'a dit : « Pas le premier soir ! » Comme une jeune fille américaine... Elle m'a proposé qu'on s'échange nos numéros de téléphone et qu'on se rappelle demain pour manger un truc.

— Mais c'est une pute, oui ou non ?

— Oui. Mais ici, les putes ne couchent pas, conclut encore Thibault.

Jérémie fit un dernier geste à la fille. Ils discutèrent encore deux minutes. Pas moyen de la convaincre. Je la vis de loin faire « non » de la tête. Martin était déjà en train de sortir du bar.

— C'est incompréhensible !

— Ouais. C'est vraiment frustrant...

— C'est le moins qu'on puisse dire. C'est comme mourir de soif au milieu de l'océan...

À la surprise générale, le chauffeur de taxi était encore là, devant le bar. Il nous avait attendus pendant tout ce temps. Il avait l'air ravi. En fait, de tout le monde, c'était lui qui avait passé la meilleure soirée. Quatre courses en quelques heures. On salua Essam et son pote qui, un peu désolés, dirent à Jérémie que les filles que l'on recherchait n'existaient tout simplement pas en Égypte. Et le taxi démarra en direction de l'hôtel Marriott. Pendant tout le trajet, Martin ne décrocha pas un mot. Vingt minutes plus tard, en traversant le Nil, sur le pont de Zamalek, j'ai constaté qu'il faisait presque jour.

7.

En attendant pire

Je me suis réveillé en fin de matinée. Il était trop tard pour prendre un petit déjeuner. À défaut d'autre chose, je suis allé me faire couler un bain, ce que je ne fais d'ordinaire jamais (je veux dire, le matin), mais j'étais parti, ce jour-là, pour faire tout à l'envers. D'ailleurs, j'ai vite oublié que le robinet coulait. J'ai écrit une lettre à Jeanne pour lui raconter la soirée de la veille, et, tout en écrivant, j'étais comme pris d'un malaise, un malaise que je ne parvenais pas à identifier. Je me suis ensuite levé et suis allé sur la terrasse. Une chape nuageuse pesait sur la ville. Puis je me suis souvenu de la salle de bains : l'eau avait sérieusement débordé. Je me suis contenté d'éteindre le robinet en haussant les épaules.

Martin était allé visiter les Pyramides. Je n'étais pas mécontent de me retrouver seul. Je projetais vaguement de me promener dans Le Caire islamique, de visiter quelques mosquées, de me perdre dans la ville, de m'oublier un peu. En sortant du bain, j'ai passé un coup de fil à Jeanne. Je ressentais la nécessité de lui dire que je l'aimais. Je suis tombé sur son répondeur. Je lui ai laissé un message. On entend souvent répéter qu'il ne faut pas dire ce genre de choses, et que les sentiments, lorsqu'ils sont exprimés simplement, sans détour, contiennent une sorte de pesanteur ridicule, de mauvais goût, voire de vulgarité impardonnable et finalement contre-productive. Et cette prescription ne concernerait pas uniquement le sentiment amoureux, mais toute forme d'élan vers l'autre. À la limite, la seule façon d'exprimer quelque chose serait d'installer parallèlement un doute volontaire sur la sincérité de ce qui est dit. J'avais par exemple remarqué qu'il était plutôt rare que les gens abandonnent cette attitude faussement détachée et ironique qui les protège si bien du monde. Tout ce qui est exprimé, aujourd'hui, ne peut l'être que parle filtre déformant de la petite distance et de l'humour – non pas l'humour en réalité, mais la blague, la dérision, le stock de vannes sans chair. Tout est devenu prétexte à rire, mais à rire bêtement et grassement. Les uns loin des autres, c'est-à-dire, finalement, les uns aux dépens des autres. Un être pensant et ressentant par lui-même ne pourra jamais participer à l'euphorie sans joie du monde. C'est ce qui signe la fin de la conversation entre les êtres et donc, d'une certaine façon, le règne de la solitude.

Je me suis habillé en pensant à tout ça. J'ai pris un peu d'argent dans le coffre, vérifiant au passage que mon billet d'avion y était toujours, et j'ai fermé la porte derrière moi. Je suis descendu à la réception pour qu'ils puissent poster mes deux lettres et confirmer mon vol du lendemain. Puis je suis allé dans le jardin. Je me suis assis à une table, le soleil était revenu, et j'ai commandé un café. Je suis resté là un long moment, me laissant aller à une douce torpeur. J'entendais des éclats de voix qui venaient de la piscine, là-bas, et des bruits de plongeons. Dans cette demi-somnolence, j'éprouvais une sensation de bien-être qui effaçait petit à petit le sentiment de malaise avec lequel je m'étais réveillé. Une nouvelle journée commençait.

Un peu plus tard, un taxi m'a conduit dans le centre du Caire. Je me suis promené dans le souk avec l'espoir de disparaître dans l'ombre de ses ruelles, oui, de m'oublier, mais les différents vendeurs, en tentant de me refourguer leur marchandise, me ramenaient sans cesse à moi-même. Je suis allé jusqu'à la mosquée al-Azhar, l'un des panthéons du savoir coranique dans le monde. Dans plusieurs regards, il m'a semblé voir de la haine, sans raison, de la haine pure, abstraite, infinie, alors que j'avais eu le sentiment jusque-là d'une profonde gentillesse. Pourtant j'avais fait en sorte de rester discret. Pas comme ce type à côté de moi qui filmait tout ce qui se passait avec son caméscope, de façon compulsive, sans réfléchir à ce qu'il voyait, ou plus exactement, sans réfléchir à ce qu'il ne pouvait plus voir – ses yeux crevés par la rage de remporter avec lui quelque chose qui survivrait à son voyage. J'ai pensé à mon frère. Dans les différents voyages que nous avions faits en famille, il avait toujours tenu ce rôle : filmer. Et je me suis dit que ce touriste était aussi éloigné de la réalité qu'il voulait capturer que mon frère l'avait toujours été de nous. Isolés, toujours plus isolés.

Après la mort de nos parents, il s'était intéressé d'une façon un peu obsessionnelle aux images représentant des accidents de voiture. Il disait que c'était une expérience photographique. César avait bien récupéré des voitures écrasées, alors pourquoi pas des images d'accident ? me disait-il, refusant obstinément le lien avec notre propre histoire. Il parlait de faire un jour une exposition. À l'évidence, il n'y avait aucun engagement dans sa démarche, il se foutait complètement de la sécurité routière – simplement, cette ferraille dévastée, les vitres brisées, ces formes concassées, ravagées par le choc, l'arrêt brutal d'un mouvement qui avait pris le nom de la liberté, tout cela lui semblait profondément esthétique. Toutes les fois où il m'avait montré son travail, sans pouvoir lui donner tort, j'avais ressenti un malaise immense, cherchant bêtement parmi les décombres fumants la dépouille calcinée de notre mère, et le sourire inquiet qu'elle aurait eu pour lui en le voyant si perdu.

Puis, au mois d'octobre de la même année, comme si un mauvais sort avait été lancé, mon frère avait eu à son tour un accident : rien de très grave heureusement, mais à cause d'une blessure au genou, il avait dû faire une rééducation et avait fréquenté pendant plusieurs jours des accidentés graves, ces rescapés auxquels il manque fréquemment une jambe, un bras, souvent davantage, et qui continuent de vivre, néanmoins. Ce spectacle l'avait profondément ému, et changé je crois. Plusieurs fois il m'avait dit qu'il ne pourrait désormais plus se plaindre. Il avait enfin trouvé les images d'horreur qui lui permettraient de relativiser sa propre peine. Il n'avait plus besoin de ses photos. Au même moment, il abandonna son projet d'exposition.

En se promenant dans les rues du Caire, c'était un peu au même sentiment de relativisation que je me confrontais. Soudain les raisons de nos plaintes incessantes devenaient sans fondement. Une série de caprices indécents.

Après un certain temps, je suis retourné au Marriott où nous attendait la voiture de l'ambassade. Il était bientôt l'heure de la dernière conférence. Je me suis fait arnaquer par le chauffeur du taxi, mais, au fond, ça n'avait aucune importance. C'était l'argent du contribuable. Je lui ai même donné un pourboire extravagant.

Mathilde était déjà dans la voiture. Elle parut soulagée de me voir arriver et me demanda si je savais où se trouvait Martin.

— Je crois qu'il est allé visiter les Pyramides ce matin. Mais il doit être revenu maintenant.

— Bah, non, justement...

— Il n'est pas dans sa chambre ?

Elle avait tenté de l'appeler plusieurs fois : personne n'avait répondu. On décida d'attendre un peu. Il n'allait sans doute pas tarder.

— C'était sympa, hier soir, non ?

— Tu veux dire, le dîner ?

— Ouais...

J'étais étonné : il m'avait semblé au contraire qu'elle s'était profondément ennuyée.

— Et vous avez fait quoi après ? me demanda-t-elle encore, davantage par peur du silence, je crois, que par réelle curiosité.

— On est allés dans des bars. Rien de très glorieux, en fait.

— Mais il n'y a rien, ici, la nuit, j'ai remarqué. C'est un pays où tout se passe le jour.

Elle n'avait peut-être pas tort. Mais je n'ai rien trouvé à lui répondre. Elle regardait maintenant sa montre de façon compulsive. On ne pouvait pas être en retard à la conférence, disait-elle. Elle s'est absentée une seconde pour tenter à nouveau d'appeler Martin. J'ai fumé une cigarette en attendant. J'avais envie de rentrer à Paris.

Mathilde est revenue. Elle avait l'air inquiet, Martin ne répondait toujours pas. J'ai voulu la rassurer :

— Peut-être qu'il est directement allé au salon... Il n'avait aucune raison de repasser par l'hôtel, après tout.

— Tu crois ?

— J'imagine, vu l'heure.

Elle resta pensive un instant. Je ne l'avais jusque-là jamais regardée. Elle n'était pas très belle, c'est vrai, mais le sérieux avec lequel elle s'activait pour ne pas être en retard avait quelque chose d'assez touchant.

Elle voulait être à la hauteur de la tâche qu'on lui avait confiée. Elle devait être une de ses filles fragiles qui se battent toute leur vie pour exister, pour qu'on les regarde un peu, malgré leur laideur, et pour ne pas complètement disparaître dans l'insignifiance.

L'heure tournait. On décida de partir sans Martin. Pendant le trajet, j'eus le malheur de lui poser une ou deux questions – ce qui était suffisant pour qu'elle me déverse tout ce que je ne lui demandais pas, sa vie dans son intégralité. Je lui faisais un sourire figé, lui concédant néanmoins, de temps en temps, de petits « oui, c'est sûr », pour qu'elle puisse conserver l'illusion d'être écoutée. Mais je sentais que bientôt ses mots allaient me *recouvrir* entièrement. L'air me manquait déjà. Elle évoqua aussi bien la maladie de sa grand-mère que les raisons psychologiques (et donc forcément subtiles) pour lesquelles elle ne supportait pas d'être en retard.

Il me sembla alors que tout ce qu'elle pouvait dire n'avait en réalité qu'une seule vocation : qu'on en vienne à la désirer, pauvrement certes, un peu par dépit, mais qu'on la désire néanmoins. Oui, il me sembla que Mathilde avait un besoin désespéré d'être *prise*, ici ou ailleurs, d'être caressée et de sortir ainsi de l'inexistence dans laquelle l'avait placée cette fadeur qui la caractérisait finalement plus que tout autre chose.

— Et sinon, t'es avec quelqu'un ? lui demandai-je au milieu de son monologue.

Elle eut un sourire gêné, surprise par cette phrase qui résonnait comme une ébauche de séduction, et elle remit un peu nerveusement sa mèche rousse en place.

— Hein ?

— Je veux dire, tu vis avec quelqu'un ?

— Non. Pas en ce moment…

— Comment ça se fait ?

Je lui demandais ça un peu pour lui faire plaisir, car, au fond, je savais très bien comment ça se faisait.

— Il n'y a personne qui m'intéresse plus que ça, c'est tout, dit-elle sans conviction. Et puis, on est en Égypte...

Il y avait quand même un certain nombre de Français à l'ambassade. Une cinquantaine peut-être. Mais elle préférait sans doute rester seule plutôt que de coucher avec quelqu'un dont elle n'était pas vraiment amoureuse – c'est en tout cas comme ça qu'elle devait appeler sa solitude, de l'exigence. Et en attendant, la vie passait.

— Et Jérémie ?

— Oh, non ! Jérémie, c'est un ami, rien de plus...

Ma première pensée a été : « De toute façon, ce ne serait pas vraiment un cadeau pour lui... » Puis j'ai repensé à notre virée de la veille. Après tout, la fille aux yeux verts qu'il avait voulu ramener n'était pas tellement plus jolie que Mathilde. Alors pourquoi ne s'intéressait-il pas à elle ? La réponse était évidente. Pour espérer toucher Mathilde, il aurait sans doute fallu l'emmener dîner, lui dire qu'elle était jolie, drôle, fine, que ce qu'elle disait était vraiment intéressant – bref, l'amener progressivement à croire qu'il y avait autre chose que l'envie de baiser. Si cela se trouve, elle refuserait peut-être de coucher le premier soir. Comme s'il y avait, dans le désir lui-même, ce désir qu'au fond d'elle-même elle espérait sincèrement, une atteinte à sa personne. Pour qui la prenait-on ? Si elle n'était avec aucun homme, c'était d'abord parce qu'elle l'avait décidé, parce qu'elle ne se donnait pas au premier venu, et que « personne ne l'intéressait plus que ça ». Oui, elle aurait sans doute refusé ; mais la fille aux yeux verts elle aussi avait refusé, après tout.

Je n'ai pas voulu lui poser davantage de questions à ce propos. La situation deviendrait vite embarrassante. Au fond, j'imaginais facilement ce que pouvait être le quotidien de cette pauvre Mathilde. Et je me suis dit, à tort ou à raison, que la vie était vraiment injuste puisqu'elle était probablement, plus que toute autre fille, capable d'amour et de générosité.

J'ai encore repensé à notre virée de la veille. Au fond, ce qui m'avait surtout marqué, c'était moins l'absence de sexe que l'obstination avec laquelle jusqu'au bout de la nuit nous l'avions cherché. Je me suis souvenu de ce qu'avait dit Martin en sortant du dernier bar, au petit matin : il avait parlé de « frustration », sous-entendant ainsi, compte tenu de la discussion que nous avions eue avec Thibault, que c'était l'islam qui, par sa morale redoutable et sa haine du sexe, s'acharnait à entretenir perversement ce sentiment. Pourtant, en y repensant, c'était surtout son attitude à lui qui m'avait marqué, sa quête effrénée, sa frénésie et finalement son désespoir, et je me suis dit que la frustration dont il avait parlé était avant tout la sienne, c'est-à-dire indépendante des circonstances précises de notre soirée, et qu'il devait la trimballer en permanence avec lui. C'est, je crois, l'un des pénibles paradoxes de l'Occident : l'exacerbation de la frustration malgré la soi-disant liberté sexuelle.

Après des siècles de frigidité, d'ailleurs assez relative, l'Occident s'était peu à peu libéré de sa morale religieuse et de sa pudibonderie sociale. On considère généralement que c'est une chose heureuse. D'un certain point de vue, pourtant, la multiplication des rencontres sexuelles qui en a découlé a été une véritable « catastrophe humaine », dont le signe le plus évident est la dissolution des dernières barricades protégeant l'individu du marché, à savoir le couple, et dans une moindre mesure, la famille. Mais le plus étonnant est que cette libération progressive ne lui a pas permis, comme on aurait pu le croire, de sortir de la frustration, le plaçant au contraire devant le spectacle de sa propre impuissance à répondre à l'accroissement de ses désirs – c'était, d'après ce que j'avais compris, le thème des romans de Martin.

J'ai alors repensé à son regard, deux jours auparavant, lorsque nous étions sortis de l'*Egyptian Night* et que les deux filles l'avaient envoyé chier : j'avais clairement vu une sorte de haine, non pas contre elles en particulier, comme je l'ai déjà dit, mais contre l'humanité tout entière. Et ce même regard, en sortant du bar, au petit matin : un regard d'assassin. À cet instant, j'avais eu la conviction qu'il aurait pu sans problème se lancer dans la carrière du meurtre. Si Martin avait rencontré, en écrivant, une certaine notoriété, c'était essentiellement parce qu'il avait contribué, avec d'autres, à définir la nouvelle société de marché dans laquelle l'Occident était entré pour se transformer progressivement en un espace où l'ensemble des rapports humains répondait à des exigences de nouveauté, d'attractivité et de rentabilité. Cette configuration concernait toutes les relations humaines sans exception ; Martin, lui, s'était essentiellement intéressé à leur dimension sexuelle. Sur ce marché, chaque individu, en perpétuel espoir de rencontres érotiques, avait une valeur propre, et finalement assez objective. Il s'agissait en fait, dans un système de transactions, d'une *valeur d'échange*. La sienne n'était pas très élevée, à ses yeux en tout cas. C'était sans doute ce qu'il avait voulu me dire, dans ce bar, la veille, quand il m'avait parlé avec émotion du dégoût qu'il ressentait pour lui-même.

D'une façon plus générale, les critères de différenciation correspondaient grossièrement aux canons d'abord véhiculés par le porno, puis par la presse féminine, et enfin par la publicité. Pour les deux sexes, l'attention était essentiellement portée sur l'âge, la taille, le poids et les mensurations. Évidemment les seuls critères physiques ne suffisaient pas à déterminer le destin érotique d'un individu. S'ajoutaient aussi, c'est évident, d'autres éléments, parmi lesquels l'argent, la position sociale, l'humour... À partir de là, la concurrence était violente et acharnée. Le refus des deux filles, dans le jardin de l'*Egyptian Night*, puis celui de cette autre fille qui, dans ce bar improbable, lui avait préféré Jérémie, étaient comme l'écho de tous les refus qu'il avait dû affronter dans une société de marché. À cette différence près que ces filles, parce qu'elles étaient payées, n'auraient théoriquement pas dû exprimer de préférence. C'est ce silence, autant que l'accès au corps, que le client achète. Voilà sans doute pourquoi Martin était tellement attiré par la prostitution : c'était finalement le seul espace épargné par la concurrence.

Et pourtant, dans le bar, la fille aux yeux verts avait bien dit à Jérémie, contre Martin : « Et toi, je ne te plais pas ? »

Après ce voyage en Égypte, vu les événements assez extraordinaires qui allaient se produire, j'ai relu tous les livres de Martin. Dans son second roman, le personnage principal ne cesse de passer de femme en femme. Plutôt désagréable, sans véritable caractéristique, il est animé presque exclusivement par ce désir multiple, instable et donc essentiellement fuyant ; on peut même dire que sa vision du monde se limite à ça. Dans son esprit, le manque de personnalité (reconnu comme une tendance générale de l'individu moderne) était intimement lié à l'éclatement du désir propre à toute société publicitaire. À force de tout désirer (en réponse aux stimulations imposées *de l'extérieur*), l'individu moderne en venait à ne plus rien désirer du tout – ou en tout cas, à ne plus rien désirer personnellement, et donc, d'une certaine manière, à sortir de l'existence individuelle. À cet égard, les personnages de son roman avaient surtout l'apparence de fantômes sans épaisseur, animés par l'espoir permanent de rencontres sexuelles. Rien de plus.

— T'as déjà lu les livres de Martin ? ai-je demandé à Mathilde alors que nous nous approchions de Héliopolis.

— J'en ai lu un.

— Et alors ?

— Ça m'a suffi.

Ce qu'il racontait devait être trop *cru* pour elle. Ou plutôt, les vérités qu'il tentait d'approcher devaient lui être trop pénibles, trop dangereuses. Et, pour se protéger, elle devait s'efforcer de trouver ça vulgaire. C'était classique.

— Ça ne me plaît pas trop...

Elle devait préférer les livres qui s'acharnent à ne rien dire du tout et qui espèrent se racheter en s'engageant dans une recherche stylistique pure derrière laquelle le vrai se dérobe fatalement.

Elle me fit alors un petit sourire assez bizarre. Le terrain était glissant. Depuis le premier jour, d'ailleurs, le visage de Mathilde m'était comme familier, et plusieurs fois je m'étais demandé si je ne l'avais pas déjà vue quelque part. Oui, vraiment, son visage me disait quelque chose. Ce petit sourire par exemple. Mais ce ne fut qu'à cet instant que je compris d'où me venait cette impression. En fait, Mathilde ressemblait à une fille qui était avec moi au lycée, en première ou en terminale, je ne sais plus. Je mis un certain temps à retrouver son nom : elle s'appelait Astrid Grégoire.

Astrid n'était pas très jolie, elle non plus. Je crois qu'on peut même dire, sans risquer l'exagération, qu'elle était carrément hideuse. Au moment où je l'ai connue, son visage était recouvert d'une plaque rouge et granuleuse, et ses dents, contrairement à elle, étaient particulièrement gâtées. Par ailleurs, ce qui n'arrangeait rien, elle était légèrement sotte. Tout cela suffisait à l'isoler du monde et anéantissait tout espoir d'être un jour aimée d'un garçon. Pour les mêmes raisons, elle n'avait aucun ami dans la classe. Personne ne lui adressait jamais la parole. Mais ce n'était sans doute pas la première année de solitude pour elle. Je pense même qu'elle devait être depuis toujours celle dont on ne se souvient qu'à peine et dont on note, en passant, le visage de monstre marin. Une profonde indifférence régnait autour d'elle, et rien ne permettait d'espérer qu'il en soit un jour autrement. Certaines vies passent ainsi, en silence. Elle arrivait le matin et ne disait pas un mot jusqu'au soir. Au fond, maintenant que j'y repense, je pourrais même avoir des doutes sur son existence réelle.

Évidemment, je ne me souviens pas du jour où je l'ai vue pour la première fois. Tout ce que je sais, c'est qu'elle était dans ma classe. Elle travaillait beaucoup sans être pour autant une bonne élève. Mais elle s'accrochait. Sans doute savait-elle déjà qu'elle devrait se battre plus que les autres pour réussir. Mais pour quoi faire ? À quoi rêvait-elle ? À l'époque, je ne me posais pas tellement de questions à son sujet. Comme tout le monde, j'acceptais sa présence tout en la plaignant un peu, mais pas trop et, surtout, de loin.

J'ai commencé à m'intéresser à elle suite à un incident insignifiant. Un jour, entre deux cours, je suis allé aux toilettes, et tout en me lavant les mains, j'ai entendu quelqu'un sangloter derrière une porte. Je me suis approché, et j'ai hésité à dire quelque chose. Il n'y avait aucun doute : il s'agissait d'une fille. Nous étions pourtant dans un endroit réservé aux garçons. Mais ce qui me surprit, ce fut surtout l'intensité affreuse de ces sanglots. Si c'est possible, cette personne était en train de mourir physiquement de tristesse. Je ne savais pas quoi faire. Je suis finalement sorti sans faire de bruit. Dans le couloir, j'ai croisé un type et je me suis mis à parler avec lui. Ce n'était pas prémédité, mais je pus ainsi, un instant plus tard, voir discrètement sortir Astrid des toilettes. C'était donc elle. L'heure suivante, je me suis assis à quelques mètres d'elle et je l'ai observée : il n'y avait plus aucune trace de ces sanglots sur son visage. Ses yeux semblaient aussi secs que d'habitude. Et je me suis dit que ce n'était peut-être pas la première fois qu'elle s'isolait ainsi pour pleurer. Je me suis même dit qu'elle devait pleurer comme ça tous les jours. Dans l'indifférence générale. Certaines vies passent aussi comme ça.

Quelques jours plus tard, à la sortie du lycée, je l'ai suivie dans la rue. Ce n'était d'abord pas intentionnel, nous allions simplement dans la même direction, puis ma curiosité a pris le dessus, et, au moment où j'aurais dû tourner à droite, j'ai continué rue Saint-André. Il faisait assez beau ce jour-là. Ce devait être un jour de mai. Elle a marché jusqu'au boulevard. Puis elle est allée manger une glace dans une brasserie. Elle regardait les passants à travers la vitrine. Elle avait des airs de petite fille, assise devant sa glace. Je ne sais pas pourquoi, je me suis alors dit qu'il devait y avoir des peluches dans sa chambre. Elle devait parfois les étreindre avec force. Au fond, elle était condamnée à assister sans rien dire à l'envol des autres : les corps découvraient le plaisir, les relations se nouaient, les filles se maquillaient, les garçons n'arrêtaient pas de draguer, et elle, elle mangeait une glace dans une brasserie solitaire.

Ça a duré un long moment. Puis elle s'est levée et a disparu. Cela reste pour moi, encore aujourd'hui, l'image parfaite de la solitude : Astrid Grégoire mangeant tristement une glace tout en regardant les passants à travers la vitrine.

8.

Un peu plus loin dans le malaise

Lamia nous attendait. Martin n'était pas encore là. Quelqu'un appela de nouveau l'hôtel, mais en vain. Il était tout simplement introuvable. Puisque l'heure pressait, la coordinatrice décida de commencer sans lui. J'étais quand même un peu inquiet, et j'ai suggéré à Mathilde d'appeler le guide avec lequel il était allé visiter les pyramides pour vérifier que rien ne leur était arrivé. Pendant que la coordinatrice parlait, j'ai repensé à mon oncle et à ma tante : si cela se trouve, un chamelier avait essayé d'enlever Martin...

La conférence ne présenta pas beaucoup d'intérêt. Les banalités s'enchaînèrent les unes après les autres. Mon tour venu, d'une voix assez hésitante, je me suis contenté d'évoquer une réflexion qu'avait menée Husserl, au milieu des années trente, sur la crise de l'humanité européenne. Les racines de cette crise (si profondes que le phénoménologue se demandait même si l'Europe y survivrait), il les voyait au début des Temps modernes, c'est-à-dire au moment où, après Descartes et Galilée, la science avait commencé à réduire le monde à un simple objet d'exploration technique. C'était selon lui à partir de là que l'homme, projeté dans les disciplines spécialisées du savoir, avait commencé à se perdre peu à peu de vue, jusqu'à sombrer dans ce que Heidegger, disciple de Husserl, appelait « l'oubli de l'être ».

Dans un de ses livres, Kundera revenait sur cette analyse en y apportant une correction capitale. Il y avait, selon lui, un lien étroit entre les racines de cette crise et l'art européen du roman (le qualificatif « européen » ne désignant pas une entité géographique, mais une identité spirituelle née avec l'ancienne philosophie grecque et que l'on pourrait finalement associer au mot « occidental »). Car pour Kundera, le fondateur des Temps modernes, ce n'est pas seulement Descartes, c'est aussi Cervantès : « S'il est vrai que la philosophie et les sciences ont oublié l'être de l'homme, il apparaît d'autant plus nettement qu'avec Cervantès un grand art européen s'est formé qui n'est rien d'autre que l'exploration de cet être oublié. »

Autrement dit, la raison d'être du roman serait précisément de nous protéger de cet oubli de l'être en tenant la vie sous un éclairage perpétuel. L'art du roman serait ainsi une déduction positive d'un malaise commençant avec les Temps modernes. Exprimé ainsi, on pouvait mieux comprendre les termes du problème : si le monde islamique avait généralement du mal avec le roman, c'était parce qu'il vivait, dans une grande partie, à une époque d'*avant* les Temps modernes, englué dans des archaïsmes incompatibles par essence avec ce qui fonde le roman : la liberté, la fantaisie, la complexité, l'ambiguïté de toutes les vérités et la suspension du jugement moral. À cet égard, le roman pouvait facilement devenir le terrain d'opposition entre deux civilisations.

C'était la meilleure réponse que j'avais trouvée à ce qui avait été dit à propos de *Madame Bovary*. Je ne sais pas dans quelle mesure la traductrice a retranscrit mon propos, mais, en finissant ma dernière phrase, je sentis dans la salle une agressivité nouvelle.

Après la conférence, Mathilde m'attrapa par le bras et me dit que le guide des pyramides n'avait pas vu Martin le matin même : il ne s'était pas présenté à leur rendez-vous. Il avait disparu, et nous n'avions aucun moyen de le joindre.

— Mais où est-ce qu'il peut bien être ?

— J'en ai aucune idée...

J'ai tout de suite eu un mauvais pressentiment. Mais j'étais le seul à m'inquiéter. Je sentais que Jérémie pensait plutôt qu'il s'était volontairement isolé.

— Il n'assure pas... Ça ne se fait pas de ne pas venir...

— Il a peut-être eu un problème, ou je ne sais quoi.

— Mais non...

— Il faudrait peut-être demander à quelqu'un de l'hôtel d'aller voir dans sa chambre, tu crois pas ?

— Pour quoi faire ? S'il y avait eu un problème, ils s'en seraient rendu compte, avec les femmes de ménage, tout ça...

Il était très optimiste. J'ai imaginé son corps dans la chambre. Nu dans la salle de bains par exemple. Il était en train de prendre sa douche, très tôt ce matin, après deux heures de sommeil, et soudain, quelque chose se passe, et son corps tombe comme un objet inerte, on entend un bruit sourd, la tête a cogné contre le bord de la baignoire, la mâchoire s'est brisée et très vite une mare de sang se forme. Quelques heures avant, il avait pris le soin d'accrocher à la porte un petit écriteau pour ne pas être dérangé, et le corps attendait toujours – j'ai revu ma salle de bains, le matin même, quand j'avais laissé l'eau couler et qu'elle avait débordé – avec du sang par terre. Rouge. Ou alors dans son lit, endormi bien sagement, une mort en pyjama, survenue pendant son court sommeil, sans explication, comme ça, un éclair. Ces choses-là peuvent arriver à chaque instant. Ce n'est pas du tout invraisemblable. C'était même, à bien y réfléchir, le scénario le plus probable.

J'ai insisté pour rentrer le plus vite possible à l'hôtel. Il y avait un pseudo-cocktail avec l'attaché culturel et les organisateurs du salon du livre, j'étais censé rester là. J'ai demandé à Jérémie s'il n'était pas possible de partir plus tôt que prévu. Il m'a répondu que c'était délicat. « Vis-à-vis de l'attaché... » Et puis il n'y avait pas de voiture disponible. J'ai fait mine de comprendre. Je me suis absenté pour aller me laver les mains, et je suis sorti par la porte de derrière. Il y aurait bien un taxi quelque part. Mais je suis tombé sur Lamia, dans la rue, qui parlait au téléphone sur le trottoir d'en face. Elle m'a fait un signe pour me dire de l'attendre, puis elle a raccroché.

— Tu fais quoi ?

Je ne savais pas ce qu'il fallait lui répondre.

— Écoute, je crois que je vais aller voir à l'hôtel...

— Pour Martin ? On ne sait toujours pas où il est ?

— Non. Et tu vois, je préférerais aller vérifier.

— Mais on a déjà essayé d'appeler dans sa chambre. Ça ne sert à rien d'aller à l'hôtel... Et tu sais qu'il y a le cocktail.

— Oui, je sais.

Elle resta silencieuse un instant.

— Tu vas prendre un taxi ?

— Je vais me débrouiller...

— Si tu veux, je t'emmène...

— T'as une voiture ?

— Oui.

Elle était garée à une minute de là. J'avais presque envie de courir. Je me rendais compte que mon élan était un peu excessif, mais je ne pouvais rien y faire. J'ai revu son regard d'assassin de la veille. Je n'ignorais pas qu'il était possiblement sa première victime.

— T'as l'air complètement flippé !

102

— On en a pour combien de temps à cette heure-là ?

— Avec les embouteillages ? Pour une demi-heure, au moins.

— On se sent con, putain, sans portable...

Lamia mit de la musique, ce qui nous permit de rester silencieux un long moment. Je prenais peu à peu conscience de l'inutilité de ma démarche. Si personne ne répondait dans la chambre de Martin, je ne voyais pas ce que j'espérais. Je me trouvais en fait assez ridicule, et j'avais l'impression que je n'étais pas le seul, dans l'habitacle de cette voiture, à le penser.

Les rues étaient bouchées. On n'avançait presque pas ; c'était vraiment insupportable. Je me suis demandé comment on pouvait vivre dans cette ville. Et c'est en me disant ça que je me suis demandé si Martin n'était pas parti du Caire. Oui, après tout, il était peut-être tout simplement parti. Je le voyais bien prendre l'avion plus tôt que prévu. Un coup de tête. Rentrer en France. J'ai pensé à sa colère, la veille, à sa rage. Ou alors quitter la ville. Partir vers le sud, vers les femmes de Nubie. Suite à notre mésaventure, il avait peut-être pris la décision d'aller là-bas. Les femmes nues. Pour se venger de quelque chose d'insaisissable. Martin aurait été capable de ça. J'ai aussi repensé aux touristes qui s'étaient fait poignarder par des extrémistes quelques jours avant notre arrivée. Toutes ces choses pouvaient expliquer son absence. Je l'imaginais déjà crevé sur le bord d'une route déserte.

— T'as l'air angoissé, me dit calmement Lamia.

— Non, non, ça va...

— Il y a moins d'embouteillage que prévu. On y sera dans vingt minutes à peine.

— ...

— Tu le connais bien, Martin ?

— Je ne l'avais jamais vu avant ce voyage... Mais tu trouves pas que c'est inquiétant, le fait qu'on ne l'ait pas vu depuis hier soir ?

— Non... Tu sais, s'il lui était arrivé quelque chose, on serait déjà au courant. Les nouvelles vont vite au Caire, surtout concernant les étrangers.

Puis, avec un sourire désarmant, elle me dit qu'il ne fallait pas tout de suite imaginer une catastrophe. C'était selon elle une attitude caractéristique des Occidentaux ; elle appelait ça « la fascination du pire ». Si cela se trouvait, Martin n'avait tout simplement pas digéré ce qu'on avait mangé la veille et ne pouvait pas s'éloigner de plus de dix mètres des toilettes ! C'était assez courant, d'après elle. Je l'écoutais attentivement. Je savais bien qu'elle avait raison. J'avais souvent tendance à exagérer. J'aurais voulu lui expliquer que j'étais encombré d'une gravité nouvelle depuis la disparition de mes parents, d'une affreuse lucidité sur la fragilité extrême de la vie. J'aurais voulu lui parler de mes insomnies, de mes peurs irrationnelles. J'aurais voulu lui raconter comment ce handicap m'interdisait tout espoir d'apaisement : je me mettais dans des états complètement excessifs dès que je ne parvenais pas à joindre Jeanne au téléphone par exemple, je m'appliquais à exprimer la solennité d'un adieu chaque fois que je disais au revoir à quelqu'un, j'échafaudais en permanence des scénarios catastrophiques à partir d'éléments finalement anodins : un retard, une absence, un regard un peu trop mélancolique. J'aurais pu lui expliquer tout ça. Mais j'ai préféré rester silencieux. Pourtant, sans que rien ne soit dit, il m'a semblé qu'elle comprenait ce qui se passait en moi. J'avais le sentiment que mon corps était devenu transparent, elle avait subitement accès à tout ce que je gardais pour moi, j'étais nu, sans maquillage, et son regard semblait me dire : « Ne t'en fais pas, tout ira bien, tout finira par s'arranger… »

Arrivés devant l'hôtel, elle a proposé de m'accompagner, mais j'ai refusé. Je me suis souvenu qu'elle avait son dîner avec Cotté à l'ambassade. Je l'ai remerciée de m'avoir amené jusqu'ici. Elle m'a fait un geste de la main. Je suis tout de suite monté au septième étage. Dans l'ascenseur, j'étais avec une famille saoudienne : les deux enfants, les yeux baissés, la femme voilée, et l'homme, enfin, que j'avais vu deux jours auparavant avec une prostituée d'une vingtaine d'années dans le bar du casino. Une fois en haut, je suis allé frapper à la porte de Martin. Nos deux chambres étaient mitoyennes. Personne ne répondait. J'ai revu son corps allongé dans la salle de bains, et je me suis dit que je ne pouvais pas rester sans rien faire. J'ai hésité à aller demander un double des clés à la réception. Mais j'ai préféré passer par ma chambre. Les deux terrasses communiquaient peut-être. J'ai ouvert la baie vitrée. Je me suis penché sur le côté pour tenter de voir à l'intérieur de sa chambre, mais le reflet du soleil faisait comme un écran opaque. J'ai toujours eu le vertige. Un mètre à peine séparait les barreaux de nos terrasses respectives. Je pouvais donc passer de l'une à l'autre sans prendre trop de risques. Quelle est la vitesse au sol d'un corps qui tombe du septième étage ? Une fois de l'autre côté, question inutile, j'ai posé mes mains contre la baie vitrée pour tenter de voir à l'intérieur. La chambre était vide. Mais soudain la porte de la salle de bains s'est ouverte, et Martin est apparu. J'ai ressenti un profond soulagement. Il était nu, en chaussettes et en lunettes de soleil. J'étais un peu gêné de frapper, du coup. Il était peut-être préférable de repasser par ma chambre. Je m'apprêtais donc à quitter sa terrasse quand il a ouvert la baie vitrée.

— Qu'est-ce que tu fous là ?

— Moi ? Je... Je te cherchais.

— Je suis là, répondit-il, toujours aussi nu.

On s'en est rendu compte en même temps, il est rentré dans sa chambre pour prendre une serviette et la mettre autour de la taille.

— On t'a cherché toute la journée...

— Je sais.

— Qu'est-ce qui t'est arrivé ?

— Rien. J'avais envie de rester seul, c'est tout.

Il avait un visage sombre.

— Il t'est arrivé quelque chose ?

— Non, je te dis. Je ne me suis pas réveillé, ce matin. Et après, je n'avais envie de voir personne... Ça s'est bien passé, la conférence ?

— On se demandait ce que tu foutais.

— Si tu veux un truc à boire, vas-y, sers-toi dans le minibar...

Il est allé dans la salle de bains pour finir de s'habiller. Il est revenu sans ses lunettes de soleil. Il avait un œil au beurre noir. Je ne lui ai rien dit. Puis il a réalisé qu'il avait oublié ses lunettes. Il s'est précipité dans la salle de bains. Je suis allé chercher un jus de fruits dans son bar pour dissimuler mon étonnement. Que s'était-il passé ? Avec qui s'était-il battu ? Je me suis tout de suite dit qu'il n'était pas allé se coucher, ce matin, après notre dernier bar. Il était peut-être redescendu après m'avoir dit bonsoir. Au casino, par exemple. Ou ailleurs.

— Où sont les autres ? me demanda-t-il.

— Toujours au salon. Il y avait un cocktail... On les verra tout à l'heure. Jérémie a réservé un resto pour ce soir.

— Sans moi, merci.

— Pourquoi ?

— Je te dis, j'ai envie de rester seul.

— C'est à cause d'hier soir que t'es comme ça ?

Il s'est contenté de hausser les épaules.

— On avait chacun notre théorie, ai-je encore dit pour détendre l'atmosphère. Je me suis demandé si tu n'avais pas repris l'avion. Lamia, elle, pensait que tu n'avais pas digéré le dîner et que tu avais passé la journée aux chiottes...

— Quelle connasse, celle-là.

Je ne comprenais pas son attitude.

— Tu es sûr que tout va bien ?

— Tout ce que je peux te dire, c'est que c'est la dernière fois que je mets les pieds dans ce pays de merde !

— Si le seul but de ton voyage était de rencontrer des filles, t'aurais dû aller au Maroc, c'est sûr...

Je lui ai proposé une cigarette. Il a accepté. On est retournés sur la terrasse pour fumer. Le soleil était déjà bas. On est restés un long moment à contempler la ville. De sa terrasse, contrairement à la mienne, on pouvait voir le Nil. Je ne sais pas pourquoi, ce fleuve m'a toujours fait rêver.

— Toi, de toute façon, tu ne peux pas vraiment comprendre, me dit-il enfin.

— Comprendre quoi ?

Il regardait au loin, vers la Tour du Caire qui se dressait vers le ciel.

— T'as vu ma tronche, putain...

C'était terrible, je ne pouvais même pas lui dire qu'il exagérait.

— Et encore, avant, j'étais gros aussi ! Au moins, de ce côté-là, ça va un peu mieux...

J'ai esquissé un sourire. Je ne trouvais rien à lui répondre. À partir de là, il s'est mis à me parler de son passé. Ça a duré un long moment. Une demi-heure peut-être. Pendant tout ce temps, je ne l'ai pas interrompu. Je regardais le Nil. Et c'était comme s'il m'annonçait tout ce qui allait se passer le soir même. Il a parlé essentiellement de son adolescence. Plus tard, en lisant ses romans, je me suis rendu compte qu'il avait déjà écrit une grande partie de ce qu'il m'avait raconté ce jour-là, à la terrasse de cet hôtel, mais qu'il n'était toujours pas sorti de ces premières blessures.

Tout commence sur le bord du lac Leman. Il habite un petit village sur lequel règne en puissance « l'esprit vaudois ». Pour ceux qui l'ignorent, l'esprit vaudois est ce qui se fait de pire en matière d'hypocrisie, de mesquinerie et de bêtise collective. C'est dans ces montagnes, à titre d'exemple, qu'a été inventé le fameux coucou suisse ; depuis, il ne s'est rien passé de notable. Pour lui, l'adolescence se résume à une succession d'humiliations. Il a la malchance d'avoir treize ans, d'être trop gros et trop petit. Assez vite, d'ailleurs, il sent qu'il sera condamné à assister douloureusement à l'exhibition du plaisir des autres. Au collège, les garçons commencent à sortir avec les filles. Des rumeurs de sexe circulent déjà dans les couloirs. Mais toutes ces choses ne seront pas pour lui. Il faut dire qu'il cumule toutes les tares du monde : moche, mauvais en sport, timide, un peu trouillard et sans conscience vestimentaire. Au moment où son enfance arrive manifestement en bout de course sans qu'aucun mode d'existence alternatif ne se soit encore imposé à lui comme une possibilité viable, il comprend qu'il est, affectivement, et surtout sexuellement, une sorte de condamné à mort.

Les choses empirent au lycée. Il regarde son gros corps devant le miroir, il lui arrive parfois de vouloir mourir à cause de ce qu'il voit. Privé d'amis, il se replie sur lui-même. Une lente autodestruction commence alors. Les magazines pornos lui sont d'un faible secours. Autour de lui, il observe, avec une haine silencieuse, les autres s'accoupler sans trop de difficulté, les séances de drague dans les soirées, les ruptures commentées, la vie heureuse, les ragots des performances – tout cela l'écœure profondément. À cette époque, sa capacité d'illusion est intacte, il rêve encore d'amour. Il croit même le rencontrer vers la fin du lycée. Elle s'appelle Vanessa. Elle est assez belle et, au-delà même de ses espérances, elle l'aime plutôt bien ; ce qui est suffisant pour qu'il lui revienne de tout briser d'un coup.

Ils habitent tous les deux dans les hauteurs de Vevey et prennent le même bus pour rentrer du lycée. Pendant plusieurs mois, Martin l'observe en silence. Le jour où elle lui dit bonjour pour la première fois, il l'a déjà déshabillée un millier de fois en imagination. L'année suivante, ils se retrouvent dans la même classe. Quand elle est malade, c'est lui qu'elle appelle pour rattraper les cours. Du coup, il devient bon élève. Vanessa sort à l'époque avec un con que Martin trucide régulièrement en rêve. Vers la fin de l'année, il se passe quelque chose. Elle est absente plusieurs jours de suite et ne répond plus au téléphone. Un peu inquiet, Martin se rend directement chez elle pour s'assurer que rien de grave n'est advenu. Elle lui propose d'entrer. Elle lui raconte qu'elle est malheureuse et qu'elle s'est séparée de son *mec*. Martin écoute. À partir de là, ils deviennent des amis proches. Sans doute Martin ne lui fait-il pas peur. Elle se dit qu'un gros, ça n'est pas très menaçant pour une jeune fille. Il vient souvent chez elle, en fin de journée. Ils discutent. Un soir, leur discussion se prolonge. Les parents de Vanessa ne sont pas là. Elle lui propose de rester dîner. Elle va jusqu'à ouvrir une bouteille de vin. Pendant tout le dîner, Martin a une solide érection ; il ne l'aide pas à débarrasser la table.

Puis ils s'installent dans le salon. Pour la première fois, il parle un peu de lui. Il prend le risque de la décevoir. Mais Vanessa le regarde avec des yeux brillants : si tous les garçons étaient aussi gentils et aussi profonds que lui, se dit-elle. Elle est touchée par ce qu'il raconte. Il ne sait pas ce qu'il doit faire. La situation est inespérée. Elle est si belle. Il voudrait presque mourir pour ne rien gâcher. Il est tard maintenant. Elle est tout proche de lui. Tu es timide, lui dit-elle à un moment. Il se demande comment il doit interpréter cette phrase. Il lui frôle la main. Elle lui répond par un sourire troublé. Son cœur hurle, et le monde entier chavire dans l'irrationalité pure. Il ose s'avancer vers elle. Sa vie en ébullition tient à cet instant précis. Elle aussi, elle se penche un peu vers lui, et leurs lèvres se touchent. Ça y est, se dit-il enfin. Ça y est. Il manque de s'évanouir. Combien de temps a duré ce baiser ? Sans doute quelques secondes, à peine. Mais c'est pour Martin comme l'entrée dans un autre monde, le vase enchanté d'aucun breuvage.

Soudain elle se recule. Elle se lève. Elle reprend conscience de la réalité. Elle s'excuse : « Je suis désolée, je ne sais pas ce qui m'a pris ! » Martin ne sait pas quoi dire. Pourquoi s'excuse-t-elle comme ça ? Elle met la main devant sa bouche, hébétée, comme si elle avait du mal à réaliser ce qui vient de se passer. Ce n'est pas grave, répond-il maladroitement. Elle a envie de rire. Rire de la situation, ce qui revient à rire de lui. En un instant, Martin redevient le garçon grassouillet qu'il déteste être. Et elle redit : « Je suis vraiment désolée... Je fais n'importe quoi en ce moment... Je ne sais pas ce qui m'a pris. Excuse-moi... » Elle n'arrive pas à finir ses phrases tellement elle cherche à étouffer son rire abominable. La vie n'est pas exempte de cruauté.

Martin assiste silencieusement à sa propre mise à mort. Il essaie modestement de la convaincre, mais la convaincre de quoi ? Elle lui répond qu'il faut qu'il parte maintenant. Et qu'il faut qu'il lui pardonne. C'est un rire nerveux, dit-elle. Il a du mal à avaler sa salive. C'est une des dernières fois qu'il la voit, il le pressent déjà. Elle ne lui répondra plus au téléphone désormais. Elle l'évitera au lycée jusqu'aux vacances d'été. Elle aura honte. Il faut qu'il parte. Vanessa devient impatiente. C'est lui qui s'excuse maintenant. Il va prendre sa veste. Et la porte se ferme derrière lui.

— Tu ne l'as jamais revue, depuis ?

— Si. Une fois...

— Et alors ?

Il me fit un sourire triste. Je compris qu'il préférait ne pas en parler ; ça n'avait pas été forcément plus agréable.

— Après, je suis allé vivre à Paris avec ma mère. On habitait dans le nord, à la station La Fourche, tu connais ? Un quartier sinistre. C'est à ce moment-là que j'ai perdu du poids. D'un coup. Sans raison. Ça ne me rendait pas tellement plus séduisant, mais bon, c'était toujours un complexe en moins. De toute façon, avec les filles, je ne tentais rien. J'avais trop peur qu'on me rie au nez, tu vois ce que je veux dire ? Je savais bien que ce serait toujours comme ça pour moi. À moins de faire quelque chose d'un peu exceptionnel. C'est à ce moment-là, je crois, que j'ai décidé de devenir célèbre, mais je ne savais pas encore comment... Pendant plusieurs années, je te jure, j'ai détesté la vie. C'est seulement quand je me suis mis à écrire, des années après, que je me suis un peu apaisé.

Je suis resté un long moment sans rien dire. Je sentais que sa souffrance était immense. Des plaies béantes. D'une certaine façon, il serait toujours cet adolescent privé d'amour – son mal était inguérissable. Dans l'un de ses romans, le personnage principal, qui se donne à lui-même le surnom de Jean-Foutre la Bite, hante les rues de Paris, les rames de métro, les parcs publics à la recherche d'une femme. Parfois il se promène à proximité des boulevards extérieurs sur lesquels, la nuit, des filles attendent qu'on vienne les prendre. Il les observe de loin et, les rares fois où on l'interpelle, son cœur se serre, et il accélère le pas, comme s'il n'avait rien entendu. Trop timide encore pour répondre à leurs appels. Cette histoire, que j'avais d'abord trouvée un peu légère et déplaisante, me semblait maintenant complètement désespérée, et belle. À cette époque, il devait avoir dix-huit ans. Dans l'histoire, il finit par se faire dépuceler par une fille de la rue de Saint-Denis.

Je ne sais pas bien pourquoi Martin m'a raconté tout ça, à cet instant précis, mais il me semble que c'était pour le mettre en relation avec tout ce qui s'était passé depuis deux jours. Dans le jardin de l'*Egyptian Night* et surtout dans ce bar du petit matin, c'était encore le rire de Vanessa qu'il avait entendu, et cela lui était proprement insupportable. Je comprenais mieux cette frénésie avec laquelle il parlait des « femmes nues ». C'était comme vouloir étouffer ce mauvais rire.

— Et Mathilde ?

Je ne sais plus trop comment j'en suis venu à lui demander ça, mais je crois que c'est à partir de là que la discussion a repris un cours normal.

— Quoi Mathilde ?

— Comment tu la trouves ?

— Pas terrible.

Puis, avec un sourire ironique, il ajouta : « Elle aurait tout intérêt à se convertir à l'islam… »

— Quoi ?

— Je veux dire qu'elle a un peu un physique de radio. Comme moi. Pourquoi ?

— Pour rien.

— Elle t'a dit quelque chose ?

Il semblait légèrement intrigué. J'avais été maladroit. Au fond, j'avais juste voulu le ramener au présent, le faire parler d'autre chose que de ses humiliations. Il croyait maintenant que Mathilde m'avait dit quelque chose de précis sur lui. Ce qui était faux. Mais je ne me voyais pas le lui dire. J'étais comme contraint d'avancer vers une autre vérité, construite, parfaitement destinée à atténuer un peu la souffrance à laquelle il m'avait donné accès.

— Oh, non, rien... Mais j'ai cru comprendre qu'elle t'aimait bien. Elle me l'a dit dans la journée. Franchement, je crois que tu lui plais bien...

— Ah ?

Sur le coup, je n'ai pas du tout imaginé les conséquences de ce que je venais de dire. C'est donc en toute innocence, je crois, que je lui ai menti. Pourtant je ne peux m'empêcher de me sentir responsable de ce qui eut lieu par la suite.

9.

Le Paradis

J'ai pu joindre Jérémie. Le restaurant auquel il avait pensé était fermé. Il proposait de dîner chez lui. Il ferait venir des *mezzes* d'un traiteur de son quartier. Je suis resté très flou à propos de Martin. Il avait ressenti une sorte de malaise, des vertiges... Mais il allait mieux, il viendrait sans doute dîner avec nous. Voilà ce que je me suis contenté de dire.

— Il y aura qui d'autre ?

— Je ne sais pas trop. Thibault nous rejoindra peut-être.

— Et Mathilde ?

— Ouais, elle viendra, je pense. Lamia, par contre, ça m'étonnerait...

— Elle va à l'ambassade avec Cotté.

— C'est vrai ? Putain, elle n'arrête pas ! Elle est arrivée il y a quelques mois, et elle va déjà dans les dîners officiels...

— Eh oui, qu'est-ce que tu veux, il faut que tu t'y fasses, les femmes sont plus malines que toi.

Je suis ensuite resté un long moment dans ma chambre à lire. Puis je me suis habillé avant d'aller chercher Martin. Toujours en lunettes noires. Il avait l'air de meilleure humeur. Mais je sentais qu'il était un peu gêné en face de moi. Il s'en voulait sans doute de m'avoir trop parlé. Les confidences sont toujours des aveux de faiblesse. Dans l'ascenseur, il me reprocha d'ailleurs de ne jamais parler de moi.

— Il n'y a rien de particulièrement intéressant à dire.

— C'est surtout que ça t'arrange de faire parler les autres. C'est plus confortable.

— Pas toujours... Tu gardes des lunettes pour la soirée ?

— Oui.

— C'est plus confortable...

— Pas seulement...

On prit un taxi en face de l'hôtel. Jérémie habitait sur l'autre rive. Son immeuble était très vieux. Sa cage d'escalier, complètement délabrée. On avait le sentiment d'être dans un quartier mal famé.

— Ça donne confiance, commenta Martin. Quand on sait que les immeubles s'écroulent impunément au Caire...

Jérémie avait tout le premier étage pour lui. C'était un grand appartement avec de hauts plafonds et des espaces particulièrement volumineux.

— Voilà ! nous dit-il pour seul commentaire.

Dans la salle centrale, une immense bibliothèque grimpait sur le mur, et j'ai été surpris de constater qu'il avait apporté tous ses livres de France. J'ai fait le tour de l'appartement. Il y avait une chambre d'amis. Et, dans le salon, un piano quart-de-queue.

— Je l'ai acheté quand je suis arrivé. Il n'est pas très bon, mais c'est agréable de jouer de temps en temps.

— Les autres ne sont pas encore là ?

— Ils arrivent...

Martin s'installa au piano. Je crus reconnaître un morceau de Debussy. Les alcools étaient posés sur la table basse, et Jérémie nous servit un verre. On trinqua à l'Égypte, mais le cœur n'y était pas vraiment.

— T'as pas envie de rentrer en France, après tout ce temps ? lui demandai-je.

— Ça dépend des jours.

— Je ne sais pas comment tu fais pour vivre ici, intervint Martin sans cesser de jouer son morceau.

— J'adore ce pays, moi. Je suis plus à l'aise ici que chez nous. En fait, plus je vois l'échéance arriver, plus je suis nostalgique. C'est un peu con, mais c'est comme ça : je suis nostalgique de ce pays avant même de l'avoir quitté...

— En fait, mon problème, je crois, c'est que je déteste l'islam, reprit Martin. Franchement, je déteste ça. Je sais que ça ne se dit pas, mais c'est vrai.

— Pourquoi ?

Jérémie semblait de plus en plus agacé par Martin.

Quelqu'un frappa. C'était Thibault. Il avait avec lui une bouteille de vodka. Ainsi qu'un sourire qui tombait pile au mauvais moment. Il demanda à Martin pourquoi il portait des lunettes de soleil, mais n'obtint aucune réponse. Je suis allé chercher de la glace dans la cuisine pour la servir très fraîche. En revenant dans le salon, je me suis arrêté devant la bibliothèque et j'ai inspecté un instant les livres de Jérémie. Il y avait notamment la *Correspondance* de Flaubert en Pléiade, et je me suis dit qu'elle nous suivait partout depuis le début de ce voyage – ou qu'à l'inverse, nous ne cessions de la suivre. C'était comme un motif récurrent. Je l'ai ouverte au hasard. Un bout de papier est tombé au sol. Je l'ai ramassé. Une phrase était écrite dessus, à l'encre noire, sans doute l'écriture de Jérémie. « Un bon écrivain est celui qui nous amène précisément là où nous n'avons pas envie d'aller. » C'était typiquement le genre de phrases débiles que je ne supporte pas. J'ai refermé le volume, je l'ai rangé sur l'étagère des Pléiades, et je suis allé m'asseoir à côté des autres.

— C'est vraiment pas mal, chez toi...

— Merci.

— À Paris, c'est sûr que tu ne peux pas avoir un truc comme ça, ajouta Thibault.

Il nous fit une liste quasi exhaustive des inconvénients d'avoir un appartement à Paris. J'étais assez surpris de constater à quel point les idées des uns et des autres se ressemblaient. Au fond, chacun désirait grossièrement vivre dans le même endroit. Les critères étaient presque identiques. Mais après tout, cette observation ne se limitait pas à l'immobilier : dans la plupart des domaines, les gens partagent les mêmes critères d'appréciation, de plaisir et de confort. Il faut une capacité de résistance démesurée pour parvenir aujourd'hui à ne pas tout sacrifier au ravage de l'identique. Par exemple, Thibault, en terme de qualité de vie, faisait allusion au fantasme du petit village. Il attribuait un charme fou à telle rue simplement parce qu'un marché s'y installait une fois par semaine. « C'est sympa... Ça fait un peu village... Tout le monde se connaît... » disait-il.

— Et pourquoi tu ne vas pas directement vivre à la campagne ?

On sonna à nouveau au bon moment. Jérémie alla ouvrir. C'était Mathilde, mais elle n'était pas seule : Lamia l'accompagnait.

Martin s'arrêta net de jouer du piano.

— Ça alors ! On croyait que t'allais à l'ambassade !

Pauvre Mathilde dont personne ne commentait l'arrivée. Lamia portait une robe noire qui découvrait ses épaules.

— Je n'avais pas trop envie. Je ne vous dérange pas, au moins ?

— Non... au contraire.

De loin, Lamia me fit un sourire. Je ne savais plus quoi penser d'elle. Au fond, elle était assez surprenante. Martin se leva du piano et se servit un verre.

— Alors ! On t'a cherché toute la journée... Ça va mieux ?

— Ça va, ça va, répondit-il d'une voix éteinte.

Jérémie mit de la musique et alla dans la cuisine chercher les différents plats qu'on lui avait livrés une heure auparavant. Mathilde l'accompagna. Martin la suivit du regard. Elle portait une robe marron assez bizarre ; ça n'était pas gagné d'avance.

Thibault et Lamia parlaient d'une fille de l'ambassade que je ne connaissais pas. J'ai rejoint Jérémie à la cuisine. On sentait qu'il ne devait pas souvent manger chez lui : il cherchait dans tous les tiroirs où étaient rangées les assiettes. Mathilde me regardait d'une drôle de façon.

— L'attaché culturel ne m'en a pas trop voulu d'être parti sans prévenir ?

Elle avait l'air un peu vexée. Elle haussa les épaules.

— Vraiment, je préférais vérifier que tout allait bien pour Martin... Ça me semblait plus important, tu comprends ?

— Et alors, qu'est-ce qu'il avait ?

— Il n'était pas bien. Rien de grave...

Jérémie me regarda avec amusement. Il pensait sans doute que j'étais en train de draguer. Il est sorti de la cuisine et – je ne l'ai compris qu'après – a commenté devant les autres son impression : « Ça ne perd pas de temps dans la cuisine... » Il me semblait que c'était le moment de lui parler un peu de Martin, de préparer le terrain.

— Il était un peu triste, c'est tout. On a un peu parlé... Je le trouve vraiment touchant...

— Touchant ?

— Ouais, vraiment...

— C'est étrange de dire ça. Parce que s'il y a un mot que je vois mal associé à ce type, c'est bien celui-là.

— Ah ?

Oui, décidément, ce n'était pas gagné. Sur ces mots, Mathilde a amené les plats dans le salon. Je l'ai suivie et j'ai senti tous les regards dirigés vers nous, ou plutôt contre nous, et notamment celui de Martin mêlé d'ironie, de méchanceté et de tristesse.

Thibault, qui avait décidément une idée sur tout, était parti dans un long monologue. Il avait une formation d'économiste et se référait souvent à des systèmes théoriques un peu trop simplistes. Il disait que, pour la première fois dans l'Histoire, les sociétés occidentales étaient confrontées à des problèmes non plus de pénurie, mais de surabondance. « Presque tous les secteurs d'activité souffrent de surcapacité. Il y a tant de voitures qu'on commence à manquer d'espace pour les conduire ! On a tellement à manger qu'on connaît des épidémies d'obésité ! Il y a tellement de choses à voir, à lire et à faire qu'on ne trouve pas le temps d'en profiter ! En fait, il y a trop de tout ! C'est le symptôme majeur de l'Occident... »

Chacun commençait à se servir dans les différents plats posés sur la grande table. Martin était un peu à l'écart et tapotait rêveusement sur le piano en fouillant parmi les partitions.

— Au Caire aussi, il y a trop de voitures, intervint Jérémie.

J'ai attrapé deux verres et j'ai servi Lamia et Mathilde.

— Ah ! L'ami des dames ! s'est exclamé Martin avec lassitude.

J'ai compris qu'il croyait que je tentais de séduire Mathilde, et j'ai décidé à cet instant de ne plus la regarder de la soirée. J'ai même fait un sourire à Lamia.

Assez vite, la discussion a cessé d'être collective, et des groupes se sont formés. Thibault n'avait plus que Jérémie comme interlocuteur, et je m'efforçais de parler avec Lamia pour que Mathilde se sente un peu seule. À un moment, elle s'est enfin levée et s'est approchée du piano.

— Tu sais jouer ? demanda-t-elle à Martin.

— Un peu. Mais médiocrement…

Sa modestie, trop artificielle, avait quelque chose de profondément immodeste.

— C'est pour ça que tu portes des lunettes de soleil ?

Martin lui fit un sourire gêné. En plus de ça, elle avait un humour pourri.

— Et toi, tu sais jouer ?

— Oh moi, non. J'en ai fait un peu, comme presque tout le monde, mais j'ai laissé tomber il y a longtemps… Je me suis fait martyriser par une prof tarée…

— Oui, comme presque tout le monde…

De là où j'étais assis, tout en mangeant du caviar d'aubergine, je pouvais observer Martin. Il était redevenu charmant avec elle. Au fond, il avait une personnalité étonnante, assez insaisissable. Je n'arrivais pas à savoir si je l'appréciais ou si je le détestais. Il lui disait maintenant quelque chose à l'oreille, et j'avais presque l'impression que je n'avais pas complètement raté mon coup. Pourquoi deux êtres aussi seuls n'arrivent-ils pas à se rencontrer ? Voilà une question majeure.

Quant à Lamia, elle me semblait beaucoup moins sûre d'elle-même que ce à quoi je m'étais attendu. Elle me parlait de politique, justement, cherchant sans doute à atténuer le jugement que j'avais pu avoir. Elle évoquait la vanité de tout ça. Souvent, elle devait lutter en elle-même contre un sentiment d'à quoi bon qui la dévorait de l'intérieur. Je voyais bien de quoi elle parlait.

Thibault proposa alors d'aller rejoindre certains de ses amis après le dîner, mais personne n'avait l'air emballé et, surtout, le dîner n'était pas encore fini. Lamia se leva et s'absenta un moment.

— Tu sais ce que tu es en train de faire, là ?

C'était Thibault, invariablement souriant, qui me posait cette question.

— Moi ?

— Oui, toi. Ça fait tous les deux six mois qu'on travaille sur Lamia ! Et toi, tu la dragues impunément sous nos yeux...

— Je ne la drague pas. Je parle avec elle.

— C'est la même chose.

Mathilde s'éloigna du piano et alla rejoindre Lamia.

— On est quand même mieux ici que dans tous les cabarets du Caire, non ? demanda encore Thibault avec un enthousiasme qui commençait franchement à me taper sur les nerfs. Martin s'est remis à jouer du piano jusqu'à ce que les deux filles réapparaissent. C'était un morceau de Keith Jarrett. Il a cessé de jouer quand Mathilde est revenue dans le salon ; ils ont continué leur discussion en chuchotant. Je me suis resservi un verre pour fêter mon petit succès d'entremetteur, mais la vodka n'était déjà plus fraîche. Je suis retourné à la cuisine pour prendre de la glace. J'avais déjà un peu trop bu.

À un moment – était-ce beaucoup plus tard ? –, Martin est venu me voir.

— Écoute, j'ai un truc à te demander...

— Quoi ?

Il me fit signe de le suivre ; Thibault était à quelques mètres de nous.

— Vous connaissez la meilleure ? nous demanda-t-il.

— Non, répondit Martin en sortant de la cuisine sans écouter la réponse.

Il alla directement dans la chambre d'amis. La lumière de la pièce était éteinte. À travers la fenêtre, la lune donnait une couleur nacrée au dessus-de-lit. Martin posa le front contre la vitre.

— Qu'est-ce qu'il y a ?

— Il faudrait que tu me rendes un service...

— Par rapport à Mathilde ?

— Non, fit-il avec un sourire inquiétant. Par rapport à Lamia.

— Quoi encore ?

J'étais prêt à repartir dans le salon.

— Il faut que je t'explique... Elle te plaît ou pas ?

— Pourquoi ?

— Dis-moi si elle te plaît...

Je sentais qu'il allait me dire quelque chose d'étrange, mais j'étais très loin d'imaginer à quel point.

— Je la trouve jolie, oui, pourquoi ?

— Tu vas essayer de l'embrasser ce soir ?

— Putain, arrête avec tes questions !

— C'est important.

— Non. Je ne vais pas essayer de l'embrasser !

Je pensais à Jeanne. Et c'était finalement très bien qu'il m'oblige à me le dire aussi clairement à moi-même.

— Donc je peux te demander mon service.

Il resta silencieux un instant, et j'avais l'impression qu'il le faisait dans l'unique intention d'entretenir un mystère sans substance. Il sortit son paquet, me proposa une cigarette, s'en alluma une, et commença enfin à m'expliquer où il voulait en venir.

— Il y a un truc que je t'ai pas dit tout à l'heure...

J'ai pensé à son œil au beurre noir, et effectivement il retira ses lunettes.

— Hier soir, quand t'es allé te coucher, je suis ressorti...

— Ouais, j'avais compris.

— J'ai repris un taxi. Je suis retourné au bar. Le dernier bar, tu sais. Quand je suis arrivé là-bas, on sentait qu'il allait bientôt faire jour. Je sais pas, il devait être six heures. Ils fermaient. Mais ils m'ont quand même laissé entrer. Ils devaient se dire que j'avais oublié quelque chose à l'intérieur. Un des types parlait anglais. Un vieux qui comptait son fric à la caisse. Il m'a servi un dernier verre. Les filles n'étaient plus là. J'ai demandé au type si elles étaient déjà rentrées chez elles. Il m'a répondu qu'il était tard. En me disant ça, il a fait un signe vers le haut, comme s'il me montrait l'étage. Je lui ai alors demandé si elles vivaient ici, en haut. Il m'a dit oui, comme si c'était une évidence. Pas toutes, mais ses deux filles. J'ai fini mon verre. Je me suis levé. On m'a indiqué les toilettes. C'était encore plus crade que dans la salle. Je suis allé me laver les mains...

— Bon, abrège...

— En me regardant dans la glace, je n'arrivais plus à comprendre ce que je foutais là. Mais je savais que tout pouvait basculer d'un instant à l'autre. Je suis sorti des toilettes, et j'ai pris le petit escalier. Après, c'était une sorte de long couloir avec différentes portes. Je comprenais que c'était pour retrouver la fille aux yeux verts que j'étais là. Pour me venger.

— Qu'est-ce que tu racontes ?

— J'ai ouvert la première porte. C'était le salon. Mais presque vide. J'ai continué. J'ai pris le couloir et je suis entré dans l'une des chambres sans faire de bruit. Il y avait un lit, et dans le lit, il y avait une fille. C'était elle. J'aurais pu faire ce que je veux. Elle était à quelques mètres de moi.

— Et...

— Comment dire ? D'un coup, j'ai compris que je déconnais. Ce n'était pas d'elle dont je voulais me venger. Ce n'était pas d'elle, mais de Vanessa... Tu te souviens, la fille en Suisse ?

— Oui, oui...

— Donc je n'ai rien fait. Au même moment, elle s'est retournée dans le lit, elle m'a vu, elle a crié, un type a déboulé dans la seconde, et voilà le travail, dit-il en remettant ses lunettes noires.

— Tu t'es fait taper dessus… Qu'est-ce que tu me racontes ? Tu veux vraiment me faire avaler ça ?

Soudain Jérémie a allumé la lumière de la chambre.

— Qu'est-ce que vous foutez ? Il y a un problème ?

— Non, non… On discutait, mais on arrive.

Jérémie avait l'air assez énervé. Il a refermé la porte derrière lui et nous a laissés seuls.

— Il y a une autre chose dont il faut que je te parle, reprit Martin. Quand je t'ai raconté cette histoire, en Suisse, tu m'as demandé si j'avais déjà revu Vanessa depuis, tu t'en souviens ? Bon. Je t'ai dit oui, mais je ne t'ai pas expliqué ni où ni comment. Eh bien, je vais t'expliquer maintenant. En fait, la Vanessa dont je t'ai parlé, c'est la Lamia que tu connais… C'est aussi simple que ça.

Je ne le croyais pas. Il le comprit à mon regard.

— Lamia, ça veut dire Vanessa en marocain.

— Je te crois pas.

— Comme tu veux.

— Mais tu le sais depuis longtemps ? C'est pour ça que tu es venu en Égypte ?

Il me fit un sourire malin.

— Non, ce n'est pas pour ça… Je ne l'ai compris que ce matin. Jusque-là, j'avais des doutes. C'était il y a pratiquement dix ans. Elle a pas mal changé. Mais ce matin, j'en ai eu la confirmation…

— Comment ?

— C'est compliqué.

Ça avait sans doute un lien avec sa disparition.

— Et elle, elle le sait ? ai-je finalement demandé.

— Non, je crois pas. Mais c'est assez compréhensible. J'ai beaucoup changé, moi aussi. Avant, j'étais gros et j'avais une tête d'adolescent… Surtout, Martin Millet, ce n'est pas mon vrai nom. C'est le nom que j'ai pris pour écrire mes livres… Donc, non, elle ne peut pas le savoir.

Je ne savais plus quoi penser.

— Mais elle n'a jamais habité à Lausanne ! Elle m'a dit qu'elle venait de Paris... Tu dis vraiment n'importe quoi !

— C'est vrai. Elle dit qu'elle est née en France et qu'elle a toujours vécu à Paris, mais elle ment.

— Pourquoi elle mentirait ?

— Je ne sais pas pourquoi, mais je te jure qu'elle ment...

— Et toi, pourquoi tu me racontes ça ?

— Je t'ai dit, j'ai un service à te demander. Mais c'est délicat...

— Tu veux te venger, c'est ça ?

Il resta silencieux un long moment et tirait sur sa cigarette avec une nervosité visible. Il cherchait ses mots comme s'il redoutait ma réaction. J'étais moi aussi assez nerveux : je crois que je devinais déjà sa machination.

— Ce que j'aurais aimé faire, c'est la séduire. Mais c'est impossible. Elle ne m'a pas considéré une seule fois depuis mon arrivée au Caire. Je ne me fais pas d'illusions : je n'existe pas pour elle. Je ne peux pas l'embrasser. Mais toi, tu peux.

— Qu'est-ce que tu en sais si je peux ?

— Je me suis renseigné. Je sais qu'elle t'aime bien. Elle en a parlé avec Mathilde tout à l'heure.

C'est à ce moment-là que j'ai compris qu'il avait tout manigancé depuis le début de la soirée. J'ai repensé aux chuchotements qu'il avait eus avec Mathilde. J'ai revu Mathilde rejoindre Lamia dans la cuisine... Je me suis senti con, d'un coup, avec mes tentatives de petits arrangements. Je n'avais rien compris de ce qui s'était joué sous mes yeux.

— Le problème, continua-t-il, c'est que je ne peux pas me venger seul... Je veux dire, je ne peux pas me retrouver dans une chambre avec elle. Alors que toi, tu peux. Tu peux la faire monter dans ta chambre.

Donc tu peux la faire monter dans la mienne... Tu comprends ?

— Tu te moques de moi ?

Il avait un sourire diabolique. Puis son visage se détendit subitement :

— Bien sûr que je me moque de toi...

— T'es vraiment grave, putain. Ça me fait pas rire.

Après ça, on a continué à discuter dans le salon comme si de rien n'était. Martin avait retrouvé un autre visage, et il me semblait parfois qu'il avait presque oublié ce qu'il m'avait dit. Il ne parlait qu'avec Mathilde. Je l'entendis rire plusieurs fois. De mon côté, j'étais resté silencieux, troublé. J'avais envie de retourner à l'hôtel, mais je ne me voyais pas laisser Martin ici. Je ne savais pas de quoi il était capable, après tout. Je le surveillais, en quelque sorte. C'est vers une heure du matin que les tensions ont commencé à revenir.

Lamia expliquait que pour les Égyptiens, elle avait un accent qui permettait d'identifier immédiatement son origine marocaine. Du coup, ils étaient plus tolérants et la laissaient à peu près tranquille...

— Pourtant, au Maroc, lui dit alors Martin d'un ton très calme, ils sont aussi complètement tarés avec les femmes, non ?

À la façon dont il parlait, on sentait qu'il avait beaucoup trop bu.

— Ça dépend. Enfin il y a de tout...

— Une femme libre, là-bas, est considérée comme une prostituée, non ?

— Ça dépend par qui, je te dis.

— J'ai une amie très proche qui est partie vivre à Tanger quelques mois pour son travail, expliqua-t-il toujours aussi doucement. Elle m'a raconté comment se sont passées les choses, et ce n'est pas du tout ce qu'on croit quand on y va une fois de temps en temps, genre à Marrakech pour les vacances... Elle me disait d'abord qu'il n'y avait que des hommes dans les rues, dans les cafés, dans les restaurants. Les femmes n'avaient pas le droit de sortir...

— Oui, mais ça c'est culturel...

— Du coup, tous ces types devenaient agressifs dès qu'ils voyaient une Occidentale se promener dans la rue. Ils avaient l'impression qu'elle cherchait à les provoquer. Pour eux, une femme qui se promène seule dans la rue, c'est déjà une forme de provocation...

— Mais non ! dit Mathilde qui n'y connaissait rien.

— Tu sais ce que me disait cette amie ? À chaque coin de rue, ces types la regardaient avec une agressivité folle. Le regard du violeur. Et ils la traitaient de « pute chrétienne » ! C'est comme ça : une Française se promène seule dans les rues de Tanger, et on la traite de « pute chrétienne » !

— À Tanger, c'est vrai, convint Lamia.

— Au fond, la vérité, c'est que tous ces types la désirent. C'est le seul problème, je crois. Ils voient une fille qu'ils associent au système occidental (c'est-à-dire, en gros, à la liberté des mœurs) et ils rêvent de pouvoir la posséder tout en s'efforçant de mépriser le système qu'elle représente. Et comme ils ne peuvent pas la posséder, cette petite Française dans les rues de Tanger – principalement parce qu'ils n'en ont pas le droit, à cause de l'islam –, ils commencent à la détester !

— Qu'est-ce que tu veux dire ?

— Je veux dire que la haine qu'ils expriment en face de la femme est en réalité une forme impossible du désir. C'est ce que je crois. Et c'est bien compréhensible ! Imagine, quand t'as dix-huit ans, là-bas, tu ne peux pas encore te marier parce que tu n'as pas d'argent, il n'y a pas de filles libres, et la prostitution est chère... Imagine l'état de frustration ! C'est une frustration gigantesque qu'organise l'islam ! C'est comme ici, en Égypte. En fait, la ville entière est une érection géante ! Une érection sans fin !

— Une érection sans main ! intervint finement Thibault, qui mit un certain temps à se remettre de sa propre blague.

— Voilà d'où vient la détestation des femmes : de la frustration. C'est tout ce que je voulais dire, mais peut-être que je me trompe.

J'étais sans doute le seul à percevoir le double niveau de son discours. J'ai essayé de changer de sujet de conversation, mais en vain.

— Tu dis que c'est à cause de l'islam, reprit Lamia. Mais tu te trompes. C'est simplement la culture qui est en cause… Moi, par exemple, je suis Française d'origine marocaine, je suis musulmane, et tout va bien. Je ne suis pas frustrée et je ne déteste personne…

— Est-ce que tu fais vraiment tes cinq prières par jour ?

— Non, mais je pratique à ma façon.

— Donc tu n'es pas vraiment musulmane.

— Quoi ? Qu'est-ce que tu dis ?

J'ai attrapé le paquet de cigarettes qui traînait sur la table. Je m'en suis allumé une.

— Tu es musulmane comme moi je suis chrétien. En France, par exemple, la plupart des gens disent qu'ils sont catholiques, mais en réalité ils ne le sont pas vraiment. Ils sont des rebus du catholicisme. Ils sont d'origine et de culture catholiques, si tu veux. Mais ils ne sont pas vraiment catholiques. Être catholique, ce n'est pas seulement avoir fait son baptême et croire vaguement en Dieu ; ça implique un certain mode de vie. Et toi, c'est la même chose, tu n'appliques pas vraiment le Coran. Tu l'as adapté à ta vision de la vie, tu en as conservé ce qui t'intéressait, tu as mis de côté ce qui te déplaisait, tu as fait ton marché en somme, mais tu t'en es éloignée au point de ne plus être une vraie musulmane.

— Ah ? Et qu'est-ce que c'est une *vraie* musulmane ? fit-elle en fronçant les sourcils.

— Une vraie musulmane, c'est quelqu'un qui applique les préceptes du Coran. Pas simplement ceux qui l'arrangent, mais tous. Ce n'est pas une critique ! Pour moi, tu vois, le christianisme devient beau quand on s'en détache. Et de même, l'islam n'a jamais été aussi intelligent et aimable que quand il ne laisse qu'une trace dans la vie d'un individu… En tout cas, continua-t-il en resservant les verres de vodka, il y a pratiquement une incompatibilité entre le système occidental et l'islam, j'en suis maintenant sûr, et cette incompatibilité sera de plus en plus évidente pour chacun d'entre nous.

— Tu vas trop loin, dis-je alors. Et tu te trompes.

Lamia resta silencieuse un instant pour réfléchir.

— Ton problème, tu vois, c'est que tu ne fais aucune nuance…

— Quelles nuances ?

— Par exemple, ça ne te passe même pas par la tête de distinguer l'islam modéré et l'islam extrême…

— Oui, c'est effectivement la subtile distinction que tout le monde n'arrête pas de faire partout. Tu ne peux pas lire une page dans un journal sans qu'elle soit rappelée : elle est juste, mais elle ne permet pas de régler le problème. Les nuances, bien souvent, sont une façon de ne pas penser. Et je trouve qu'on devrait s'en méfier un peu plus. En France, l'art de la nuance a complètement étouffé toute possibilité de réflexion. Il est devenu pratiquement impossible, par exemple, de prononcer certains mots sans être immédiatement suspecté d'avoir voulu en prononcer d'autres. Et de les avoir tus. On est obligés de se taire. Il y a un silence obligatoire sur tous ces sujets… On nous a d'abord répété en boucle pendant des mois qu'il ne fallait surtout pas faire d'amalgames entre musulmans et islamistes, ce qui est la moindre des choses, je te l'accorde. Mais cette volonté de ne pas confondre les problèmes a finalement créé une confusion générale tout aussi inquiétante. Toute personne réfléchissant sur l'islam, par exemple, est immédiatement suspecte de vouloir dire d'autres choses que ce qu'elle dit vraiment. Par exemple, toute personne mettant le doigt sur l'agressivité et l'instinct de domination indéniablement propres à cette religion est immédiatement accusée d'avoir en réalité voulu critiquer les Arabes. En fait, un amalgame supérieur s'est constitué dans l'opinion publique, un amalgame sur lequel on ne peut pas revenir et qui s'apparente à du terrorisme intellectuel. Dans ce contexte, Voltaire, dont une partie de l'œuvre eut pour ambition de chasser l'infâme de la religion catholique, sa superstition, son fanatisme d'essence et son extravagance, aurait dû quitter la France – c'est du reste ce qu'il fit !

— Mais tu veux en venir où, là ?

— Quand je dis que, pour moi, il y a une incompatibilité entre l'islam et le système occidental, je n'ai pas besoin de me réfugier derrière une distinction entre les modérés et les fanatiques, puisque je parle de la religion, de la façon dont elle explique le monde. Il y a une ferveur égalitaire et un culte de la tolérance qui voudraient nous faire croire que toutes les valeurs se valent. Mais rien n'est plus faux. Et pour moi, celles de l'islam sont parfois dangereuses et régressives, c'est tout. En France, une grande quantité des musulmans est comme toi : ils se disent musulmans, mais ne poseront jamais de problème d'incompatibilité puisqu'ils se sont beaucoup éloignés de leur religion, la plupart du temps sans en avoir tout à fait conscience. Mais je parle de l'islam qui ne fait pas de compromis avec le monde réel. Rien qu'un seul exemple : un type qui doit faire ses cinq prières par jour ne peut pas s'intégrer dans le système occidental, c'est absolument impossible.

— Tu te trompes. Mais je vais te dire : ça ne m'étonne pas que tu n'aimes pas les nuances, parce que c'est précisément ce qui te manque. Tu n'as aucune nuance, aucune finesse.

— Moi, ce que je ne comprends pas, dit alors Thibault, pour adoucir un peu la discussion, c'est pourquoi l'islam est aussi strict sur le sexe.

— Le christianisme a longtemps été encore plus strict, dit Lamia, comme pour se défendre.

— C'est clair, ajouta Mathilde, qui essayait de participer à la discussion.

— Sauf que le christianisme disait qu'il ne fallait pas jouir maintenant pour pouvoir sauver son âme, alors que le Coran défend de jouir maintenant pour pouvoir jouir plus tard, ce qui n'est pas tout à fait la même chose...

— Comment ça ?

J'ai senti à ce moment-là que Martin allait dire quelque chose de déplaisant.

— Les pays musulmans, pour la plupart, sont dans une négation absolue du sexe. Je ne savais pas que c'était aussi dur, mais vous nous l'avez dit vous-même : ici, la frustration est immense, on peut le voir dans chaque regard. Or vous savez ce qu'on promet aux martyrs, par exemple ?

— Non...

— Au paradis, un martyr est un héros, mais surtout, et ce n'est pas négligeable, il a droit à soixante-douze vierges pour lui. C'est important, je pense, pour comprendre un peu mieux le terrorisme. Tous ces jeunes types sont incroyablement frustrés : c'est normal qu'ils ne restent pas indifférents à de telles propositions...

— Tu veux dire que pour toi, la motivation des kamikazes est sexuelle ? demanda Mathilde en plissant le front d'une façon légèrement méprisante.

Jérémie s'était levé pour aller jouer au piano. Lamia la rejoint presque aussitôt, refusant de poursuivre la discussion.

— En partie. Mais je vais te le dire autrement : si j'étais palestinien par exemple, que je n'avais rien, aucune richesse, aucun avenir véritable, que j'avais perdu dans la guerre plusieurs membres de ma famille et, surtout, qu'il était impossible de coucher avec des filles, c'est-à-dire si j'étais dans un système de frustration maximale, franchement, on me proposerait d'aller me faire sauter sur l'ennemi et, dans l'instant, de me retrouver avec autant de femmes pour moi, oui, franchement, je crois que je n'hésiterais pas une seule seconde... J'irais me faire sauter sur l'ambassade française !

— C'est un peu simple ce que tu dis.

Mathilde le regardait maintenant avec méfiance. Elle était manifestement déçue par ce qu'elle entendait.

— Oui, c'est simple... Mais les choses ne sont pas forcément très compliquées. C'est simple. C'est même très simple. Mais c'est *vrai* !Et c'est précisément pour ne pas se confronter à cette vérité que tout le monde s'acharne à faire croire que le problème est très compliqué ! Organise une bonne libération sexuelle dans ces pays, et ce sera la fin du terrorisme !

Jérémie commença un air de piano dans l'intention évidente de couvrir cette discussion désagréable.

— Il y a un truc sur lequel je ne suis pas d'accord, dit finalement Thibault. En France par exemple, avant la libération sexuelle, les gens étaient aussi très frustrés, bon, eh bien, ils ne sont pas allés pour autant se faire sauter sur des bombes.

— Oui, mais l'état de frustration occidental n'a jamais égalé celui du monde musulman. Il y a cinquante ans, on pouvait facilement avoir une maîtresse... Et la prostitution était courante. À la limite, le seul moment de frustration comparable a été l'époque des grandes croisades. La chasteté absolue. On voit ce que ça a donné : c'était tout simplement insupportable pour eux de savoir qu'on forniquait dans les autres pays. Ils sont donc religieusement partis en guerre, violant au passage un nombre incalculable de jeunes musulmanes, comme la pseudo-guerre sainte algérienne a fait de milliers de viols en dix ans ! Voilà ce que je dis : le Djihad, comme toute guerre sainte, a une motivation principale, le cul !

— C'est pas bête, commenta bêtement Thibault.

— Tu dis ça parce que tu n'as pas réussi à draguer une seule fille hier soir, lança Jérémie du piano. C'est tout.

Tout le monde était fatigué et l'ambiance était assez dégueulasse. Il était temps de rentrer. Je me suis absenté une seconde pour aller pisser. Et quand je suis revenu, Martin était à terre, complètement ivre. On l'a allongé sur le canapé. Jérémie avait l'air embêté. Il redoutait qu'on décide de le laisser là toute la nuit. Lamia avait une voiture. Elle était d'accord de m'aider à le ramener à l'hôtel. C'était risqué pour ses banquettes. On l'a porté jusqu'à la voiture, et on l'a installé à l'arrière. Thibault habitait dans le quartier. Par contre, Mathilde est montée avec nous. Son appartement se trouvait sur le chemin du Marriott.

Pendant le trajet, personne n'a parlé. Dans le rétroviseur, je pouvais voir Martin, tête en arrière, bouche ouverte, et Mathilde qui le regardait avec un profond dégoût : voilà comment se finissait cette dernière soirée. J'ai repensé à cette idée que j'avais eue un peu plus tôt d'arranger les choses entre eux deux. Et je n'ai pu m'empêcher de rire.

— Qu'est-ce qu'il y a ? m'a demandé Lamia.

— Rien. Je trouve tout ça très drôle, en fait. Pour moi, le pathétique et le dramatique rejoignent toujours le comique...

Elle m'a fait un sourire. Elle ne comprenait pas vraiment ce que je voulais dire, je pense.

— Comment il va ?

— Il ne bouge plus.

Arrivée en bas de chez elle, Mathilde s'est contentée d'un geste de la main pour nous dire au revoir, il y avait dans ce geste toute la lassitude du monde, et elle a disparu derrière une lourde porte en bois. Elle semblait écœurée. J'ai alors repensé à Astrid Grégoire et, sans bien savoir pourquoi, je me suis imaginé Mathilde seule dans son appartement en train de sangloter.

Puis on a retraversé le Nil. Les rues de la ville étaient désertes. Une fois devant l'hôtel, on s'est demandé comment procéder. C'était un peu gênant d'arriver par l'entrée principale en portant Martin. Lamia a proposé de passer par-derrière. Elle a garé la voiture sur le parking de l'hôtel. J'ai pris Martin sur moi, et je l'ai suivie dans la nuit. Un gardien nous a légèrement fouillés et nous a laissé passer. On a traversé tout l'hôtel comme ça. Puis on a pris l'ascenseur. À trois. J'ai repensé à ce qu'il m'avait dit dans la chambre d'amis, chez Jérémie. D'une certaine façon, la situation était assez curieuse. J'avais presque l'impression d'exécuter son plan : on allait bientôt se retrouver dans sa chambre. Je me suis demandé, un instant, si Martin était vraiment endormi et s'il n'était pas encore en train de nous manipuler. Je l'ai secoué, mais il était comme mort.

La clé de sa chambre se trouvait dans sa veste. On l'a ouverte sans difficulté. Puis on l'a installé sur son lit. J'avais le dos bousillé.

— Qu'est-ce qui lui est arrivé ? a demandé Lamia.

Sur le chemin, on avait perdu ses lunettes de soleil. Le tour de son œil était violet.

— Hein ? Il a dû se cogner…

— Tu penses ?

Je me suis contenté de hausser les épaules. À vrai dire, trop d'éléments me manquaient pour que je puisse comprendre ce qui s'était réellement passé. J'avais plutôt tendance à croire qu'il m'avait raconté n'importe quoi, mais je ne pouvais rien dire de plus. Lamia est allée vers le minibar.

— Tu crois que je peux prendre un truc, je meurs de soif...

— Ouais, bien sûr.

Elle a ouvert un jus à la goyave et s'est installée sur le canapé. Les rideaux n'étaient pas tirés, la baie vitrée, dans la nuit, faisait comme un grand miroir. J'ai aussi pris un jus de fruits dans le minibar. Pourtant je n'avais pas soif. Je me suis assis en face de Lamia. Elle m'a fait un sourire gêné.

— C'est un peu bizarre, comme situation.

J'étais assez d'accord avec elle. Surtout vu ce que Martin m'avait dit. Je savais qu'il dormait profondément, là, à cinq mètres de nous, mais je ne pouvais m'empêcher d'avoir l'impression qu'il nous écoutait et qu'une partie de ma liberté m'avait été retirée. Je lui ai proposé d'aller finir nos jus dans ma chambre. On a fermé la porte de Martin derrière nous, et on s'est installés sur le canapé de mon salon.

— C'était une drôle de soirée, non ?

— Ouais, un peu. Même assez désagréable, par certains côtés...

— Peut-être...

On ne savait plus quoi se dire maintenant. Elle n'arrêtait pas de sourire. Elle était vraiment jolie. On était à l'autre bout du monde. Tous les deux. Dans une chambre d'hôtel. Demain, je rentrerais en avion à Paris. Tout concordait pour que je me penche vers elle et que je l'embrasse. Mais il y avait Jeanne. Il fallait que je m'en tienne à ce que je m'étais dit : je n'embrasserais pas Lamia.

J'ai voulu la faire parler d'elle, mais elle ne parlait pas beaucoup. Au fond, je comprenais, il n'était plus l'heure de parler de son passé, de son enfance, tout ça. Il était l'heure de s'embrasser ou d'aller dormir. Elle attendait. Elle attendait que je fasse un geste vers elle. Que je me penche vers elle.

— T'es fatigué ? me demanda-t-elle.

— Ça va… Et toi ?

Elle me fit à nouveau un sourire ambigu.

— Non. Pas vraiment.

Je ne parvenais pas à me décider. Pourtant, c'était simple, il suffisait de lui dire : « Bon, il faut que tu t'en ailles maintenant… » Et au lieu de ça, au moment où elle me demandait si j'étais fatigué, je lui répondais que ça allait. Ça n'allait pas du tout, en fait. Ça n'allait pas du tout.

— C'est drôle, non, de se retrouver tous les deux, ici…

— Drôle ?

— Inattendu, je veux dire.

— Pourquoi ? fis-je d'une voix à moitié éteinte.

— Je ne sais pas. Je n'aurais pas cru…

J'ai repensé à ce que Martin m'avait dit. Cela m'aiderait à résister. Ne pas l'embrasser. Puis, sans transition, je lui ai demandé si elle était déjà allée en Suisse.

— En Suisse ?

Elle rigolait. C'est vrai que ça tombait un peu brutalement…

— Non, jamais. Pourquoi ?

— Pour rien.

— Ah.

On avait fini nos jus. Elle riait un peu de la situation. Elle devait me trouver timide. Ce n'était pourtant pas totalement le cas. J'étais simplement en lutte avec toutes mes contradictions. Je ne me demandais même plus si Martin s'était trompé au sujet de Lamia ou s'il m'avait menti. Sur le moment, mon seul problème, c'était moi-même, ou cette partie de moi-même qui voulait tendre une main vers elle.

— À quoi tu penses ?

— Hein ? À rien.

— Viens, me dit-elle alors tout bas.

Elle posa sa main sur mon épaule et m'embrassa. J'étais prisonnier. J'avais comme idée fixe de voir ses seins maintenant et, sans m'éloigner de sa bouche, je m'acharnais à comprendre comment s'ouvrait sa robe. Mais soudain, comme pris d'horreur, ce monstre froid qui me tenait le ventre et que j'avais pris l'habitude d'appeler « mon amour pour Jeanne » s'est insurgé, et je me suis reculé. Ce n'était pas ce que je m'étais dit. Je pouvais encore décider de ce qui m'arrivait.

— Qu'est-ce qu'il y a ?

— Je ne peux pas. Désolé.

— Quoi ?

— Ça n'a rien à voir avec toi. J'ai trop bu…

— Hein ?

— Et j'aime une femme à Paris.

En un éclair, j'ai vu apparaître du mépris dans son regard.

— Tu t'en souviens un peu tard, non ?

— Je te dis, je suis désolé.

Elle tenta à nouveau de m'embrasser, mais je détournai la tête. Elle ouvrit alors le haut de son décolleté pour me pousser dans mes retranchements. Ses deux seins apparurent. Elle fermait les yeux. Pas moi.

— Viens, on s'en fout…

— Il faut que tu partes, lui dis-je avec un sourire triste, réalisant que j'étais précisément en train d'exécuter ce que Martin m'avait demandé de faire : la repousser.

Elle ne comprenait pas. Je me suis levé pour donner plus de poids à ce que je lui disais, et ce fut à ce moment-là, je crois, que j'aperçus, derrière la baie vitrée qui, dans la nuit, s'était transformée en une sorte de miroir opaque, la silhouette effacée de Martin. Il était là, sur la terrasse, en train de nous regarder. J'avais vu, l'espace d'une seconde, son regard braqué sur nous. Lamia me demanda ce que j'avais. Je me suis précipité vers la baie vitrée, je l'ai ouverte : il n'y avait personne.

— Qu'est-ce que tu fous ? me demanda-t-elle à nouveau.

Sans lui répondre, j'ai enjambé le vide entre nos deux terrasses. Je comprenais que Martin me manipulait depuis le début. Nous avait-il vraiment observés ? Ou n'était-ce qu'une hallucination ? La baie vitrée de sa chambre était ouverte. Je me souvenais pourtant l'avoir fermée en partant. Maintenant il fallait entrer dans sa chambre et, sans bien savoir pourquoi, j'avais peur – je me suis revu, enfant, la nuit, dans le couloir interminable de l'appartement, en train de me chanter à moi-même *La Marseillaise* pour me donner du courage et me frayer un chemin jusqu'aux chiottes. Peur, car Martin n'était plus sur le lit. La lumière de la salle de bains était allumée, mais elle était vide. Il avait disparu. À quoi jouait-il ? Il était probablement sorti par la porte. Il avait peut-être frappé à celle de ma chambre. Lamia, pensant que c'était moi, aurait ouvert, et il se serait retrouvé seul avec elle dans ma chambre – exactement comme il m'avait dit qu'il voulait le faire. Tout cela a défilé en un instant dans ma tête. J'étais piégé, mais en même temps ce piège me semblait impossible, irréel et confus. Je me suis précipité sur la terrasse. J'ai enjambé le vide dans l'autre sens. Et je suis tombé nez à nez avec Martin. Il était en train de fermer la baie vitrée de l'intérieur. J'ai juste eu le temps de mettre mon bras. Lamia était recroquevillée sur le canapé. J'ai pu ouvrir la baie vitrée. Martin n'a pas fait grand-chose pour m'en empêcher. Il avait son sourire diabolique. Il avait aussi quelque chose à la main, un verre peut-être, mais je n'ai pas eu le temps de le voir, je me suis jeté sur lui. Au premier coup de poing, il est tombé au sol. C'est peut-être seulement à ce moment-là, maintenant que j'y repense, que lui est venu son œil au beurre noir. Oui, c'est probablement moi qui l'ai blessé au visage.

Lamia ne comprenait pas bien ce qui s'était passé. Elle s'était rhabillée. Je crois qu'elle avait eu peur. Elle a regardé Martin à terre et a dit : « Quand je pense qu'il disait tout à l'heure que c'étaient les musulmans qui devenaient violents à cause de la frustration... Vous êtes vraiment deux pauvres types ! » Puis elle est partie sans se retourner. C'était mieux ainsi. Et je me suis retrouvé seul avec Martin. Je ne sais pas pourquoi, j'ai cru que j'allais alors me mettre à pleurer. Un spasme montait en moi, une sorte de dégoût pour tout ça, et je devinais déjà son intensité, violente, irrationnelle. J'ai caché mon visage dans mes mains, avec l'espoir de me contenir. J'ai fermé les yeux. Je suis resté un court instant ainsi, sans bouger, dans l'attente des larmes. Mais rien n'est venu. J'allais me calmer. Quand soudain j'ai senti une contraction de tout mon corps ; je me suis mordu l'intérieur de la joue, mais en vain ; et j'ai senti le spasme vaincre mes résistances, monter dans ma gorge, une irruption volcanique, et éclater en un bruit désagréable, effrayant. Je ne compris pas tout de suite.

Il me fallut quelques instants pour réaliser que j'étais en train de rire.

10.

La fascination du pire

Le lendemain, Jérémie est venu nous chercher pour aller à l'aéroport. Il devait être environ dix heures du matin. Le ciel était gagné par une épaisse masse nuageuse. Ni Lamia ni Mathilde ne sont venues nous dire au revoir. J'avais hâte de rentrer à Paris. Dans la voiture, nous sommes restés silencieux. Martin gardait les yeux fermés. Il devait avoir mal à la tête. Il ne s'est rien passé de particulier jusqu'à l'enregistrement de nos bagages. Jérémie nous a mollement dit au revoir. C'était assez triste de se quitter comme ça.

Pendant le vol, Martin ne m'a pas adressé la parole. Par hasard, nous n'étions pas vraiment à côté : un couloir séparait nos deux sièges. De quoi se souvenait-il exactement ? Quand l'hôtesse est passée pour servir des rafraîchissements, j'ai entendu Martin demander un jus de goyave. Je ne sais pas si c'était une allusion à la soirée de la veille ou simplement une coïncidence. Comme il n'y en avait pas, il a pris un jus de pomme. Après ça, je me suis peut-être endormi. Je ne me souviens plus bien. À Roissy, on s'est perdus de vue dans le hall d'arrivée. Je ne l'ai même pas vu disparaître dans la foule. Il n'était plus là, tout simplement. Je suis allé prendre ma valise. Puis un taxi m'a emmené jusqu'à chez moi.

Mon appartement était parfaitement rangé. Il n'y avait plus aucune trace de Jeanne. Elle s'était installée chez moi quelques semaines auparavant, mais de façon transitoire. Suite à des histoires un peu compliquées, son propriétaire l'avait mise à la porte, et elle cherchait un nouvel appartement. Pourtant, les valises qu'elle avait posées dans ma chambre n'étaient plus là. Je l'ai appelée sur son portable, mais je suis tombé sur son répondeur. Je me suis demandé où elle pouvait bien être. J'ai appelé sa mère. Au téléphone, elle avait l'air très gênée de me parler. Je ne comprenais pas pourquoi. J'ai commencé à m'inquiéter. J'ai décidé d'attendre de ses nouvelles. Calmement. Je n'avais que ça à faire. Je me suis préparé un café. J'ai lu les quelques lettres que j'avais reçues pendant mon absence. À un moment, je me suis levé de mon bureau, et je suis allé dans la chambre. La dernière fois que je l'avais vue, elle dormait encore dans ce lit défait. C'était il y a quatre jours. J'ai remué les cendres de son corps avec le froid de son absence. Et j'ai soudain repensé à cette image terrible : me retourner, et constater que la voiture n'est plus là.

Elle m'a appelé un peu plus tard dans l'après-midi. Elle était dans un taxi et se rendait à son nouvel appartement : elle l'avait trouvé en quatre jours, un miracle. Elle voulait absolument que je la retrouve là-bas. Son excitation était extrême. Elle me donna l'adresse et, l'instant d'après, j'étais dans un taxi, le sourire aux lèvres. C'était une rue assez sombre, près de Censier. Au téléphone, elle m'avait expliqué qu'il fallait entrer dans une grande cour pavée. La porte se trouvait au fond de la petite impasse. C'était une sorte de loft sur deux étages. J'ai sonné, l'interphone grésillait légèrement, elle m'a dit d'entrer, la porte était ouverte, elle était à l'étage en train de « faire un truc ».

Je suis donc entré. Le salon était complètement vide. Tout était à refaire. Ça lui ressemblait bien d'avoir choisi ce genre d'appartement. J'ai pris le petit escalier. Je l'ai appelée. Je suis allé dans la première pièce. La chambre. Elle n'était pas là. J'ai entendu sa voix. Je me suis retourné : elle était maintenant en face de moi, une apparition, avec son sourire de coccinelle. Je n'ai eu le temps de rien dire, elle m'a pris la main, on est redescendus dans le grand salon. Elle m'a allongé par terre. Elle s'est déshabillée devant moi. Et on a passé le reste de l'après-midi à s'aimer, je le crois du moins.

Je n'ai pas eu de nouvelles de Martin pendant plusieurs mois. En août 2004, j'ai reçu par la poste un livre intitulé *La Fascination du pire*. Le nom de l'auteur ne me disait rien. Cependant, intrigué par ce titre, je l'ai feuilleté distraitement : il était dédicacé à l'encre noire, d'une écriture minuscule, presque illisible. J'ai mis du temps à déchiffrer : *Puisque tu sais tenir un secret. Amicalement, Martin.* J'ai été désagréablement surpris. Martin racontait notre voyage en Égypte. Il n'avait pas perdu de temps. Mais pourquoi le publiait-il sous pseudonyme ? Il me sembla que c'était mauvais signe. Et s'il avait choisi de se cacher derrière un masque, pourquoi m'en faisait-il, à moi, la confidence ? En parcourant rapidement les pages du livre, j'ai repéré plusieurs fois le nom de Lamia. Puis le mien. C'était bien ça : il avait fait un court roman de notre voyage. Le salaud. J'allais enfin comprendre ce qui s'était passé six mois auparavant. J'avais la gorge serrée. Pour tout dire, j'étais assez inquiet. Mais je n'avais pas encore la moindre idée de tout ce qui allait advenir à cause de ce livre.

J'ai commencé à le lire immédiatement. L'histoire débutait le matin du départ pour l'Égypte. Le narrateur se lève à l'aube pour prendre le taxi qui doit l'emmener à Roissy ; rien de très intéressant. Comment peut-on commencer un roman comme ça ? Après une digression un peu longue sur Charm el Cheikh, les deux personnages décollent à destination du Caire. C'était un roman réaliste, très contemporain, donnant des gages insensés à la modernité, sans détour poétique ni réelle écriture – exactement ce que je n'aimais pas en littérature. Toute la première partie était à peu près fidèle à ce qui s'était réellement passé : l'arrivée dans l'hôtel, les premières soirées, les conférences, les discussions sur l'absence de sexe et sur l'islam. Mais à partir d'un moment, Martin s'écarte de la réalité ; en tout cas, de ce que j'en ai perçu, moi. Au milieu du livre, il fait une longue parenthèse au cours de laquelle il raconte sa rencontre avec Lamia, dix ans auparavant, à Lausanne. Dans le roman, le baiser ne suffit pas, ils vont jusqu'à coucher ensemble. Les deux frères de la jeune Marocaine s'en rendent compte et lui cassent la gueule ; Martin est hospitalisé pendant deux semaines. Après ça, Lamia ne veut plus le voir et, l'année d'après, elle déménage à Paris. C'est à partir de là que commence l'errance du personnage. Et sa méfiance à l'égard de l'islam.

Dix ans plus tard, par pur hasard, il la retrouve lors d'un séjour au Caire. Il découvre avec effroi que son amour pour elle est intact. Elle ne l'a pas reconnu. Il tente maladroitement de la séduire, mais elle l'ignore complètement. En revanche, elle semble moins indifférente à un autre personnage ; celui-là porte mon nom. Il raconte ensuite sa nuit dans le bordel, cette histoire improbable qu'il m'avait racontée et qui, à certains égards, annonçait parfaitement ce qui allait se passer dans ma chambre du Marriott. D'ailleurs, en lisant le livre, je me suis demandé si je n'avais pas été manipulé jusqu'au bout : c'est-à-dire jusqu'au coup de poing que je lui avais donné. Au fond, j'avais fait monter Lamia dans ma chambre, exactement comme il m'avait demandé de le faire. Puis je l'avais cogné, exécutant sans m'en rendre compte le scénario qu'il avait lui-même inventé un peu plus tôt dans la soirée. Il était soi-disant revenu dans ce bar, avait eu l'intention de violer la fille aux yeux verts avant de se faire casser la gueule par un type. Voilà ce qu'il m'avait inventé un peu plus tôt dans la soirée. Oui, je me suis demandé s'il n'avait pas lui-même prévu de rejouer la scène de sa première humiliation et si je n'avais été, pour cela, un exécutant d'une naïveté accablante. C'était en tout cas ce que laissait suggérer son roman.

J'ai refermé le livre sans trop savoir quoi en penser. J'avais un sentiment désagréable. Je n'aimais pas du tout la façon dont il m'avait personnellement décrit, mais cela, au fond, était sans importance. Le récit n'avait selon moi rien à voir avec la réalité, mais c'était son droit, il était écrivain. À bien y réfléchir, c'était davantage ses propos sur l'islam qui me gênaient. Ils me semblaient diffamatoires et insultants, et c'était tellement loin de l'attirance que je ressentais, moi, pour tous ces pays. Je comprenais maintenant pourquoi il avait utilisé un pseudonyme. Il ne s'agissait pas de véritables arguments, mais plutôt d'une succession d'*a priori* sur le sujet, représentant bien, à mon sens, l'état d'esprit que pouvait avoir depuis quelques mois un Occidental moyen suivant l'actualité internationale.

À la fin du roman, Martin partait dans une sorte de délire : il décrivait le conflit à venir entre les civilisations occidentales et musulmanes. Il parlait de la nouvelle émigration juive vers les États-Unis encouragée par les actes antisémites de plus en plus nombreux en Europe. Il reprenait en fait la thèse de plusieurs philosophes selon laquelle la suspicion à l'égard des Juifs avait trouvé, à travers la cause palestinienne, une nouvelle crédibilité. Certes, l'incendie des synagogues, la profanation des cimetières et les inscriptions ordurières étaient généralement condamnées, mais elles recevaient paradoxalement une traduction positive : après tout, cette violence d'origine arabo-musulmane était une réaction désespérée à leur condition de victime. Bientôt, écrivait-il, même les actes terroristes contre l'Europe, sans rien perdre de l'horreur qu'ils suscitaient, seraient perçus comme la réponse compréhensible de l'humiliation des musulmans du monde entier : il faudrait d'abord s'en prendre à soi-même. Sur ces bons sentiments fleuriraient des attentats à Berlin, à Londres, mais surtout à Paris. Les Européens les plus aisés partiraient vivre aux États-Unis, dernier bastion à peu près sécurisé de la culture occidentale, et l'on assisterait à une nouvelle vague de migration religieuse. Ce ne serait plus la persécution des catholiques cette fois, mais celle, virtuelle, des musulmans qui expliquerait ces départs. Et peu à peu, l'Europe deviendrait musulmane. Selon lui, le système occidental européen n'avait tout simplement aucune chance.

Le scandale éclata début septembre. Plusieurs articles accusaient déjà le livre d'islamophobie rampante. Quelques jours après sa sortie, différentes organisations musulmanes demandaient son retrait des librairies. On entendit quelques voix se prononcer mollement pour la liberté d'expression, mais l'intérêt principal se concentra sur l'identité de l'auteur. Qui était-il ? Je ne sais pas comment les journalistes apprirent que la signature était un pseudonyme. On parla un moment de Sollers, ce qui n'était pas possible, puisque Sollers avait du style et n'aurait jamais écrit, d'après Le Monde, « un aussi mauvais roman ». On parla aussi de Houellebecq, mais là encore, la rumeur était improbable. Il valait mieux chercher parmi les auteurs moins importants. Plusieurs associations musulmanes revinrent justement sur le cas Houelle-becq, regrettant qu'il n'ait pas été condamné à l'épo-que de son procès, puisque sa victoire juridique, on le voyait, ouvrait la porte à ce genre de pamphlet hai-neux. Toutes ces discussions me faisaient doucement rire. Et j'avais l'impression que personne ne débusque-rait jamais Martin.

Son nom sortit pourtant dans *Le Parisien*. Selon plu-sieurs proches de l'éditeur, Martin Millet était l'auteur de *La Fascination du pire* : voilà ce qu'on pouvait lire, le 23 septembre, dans un article dont le titre était : « Un roman en quête d'auteur ». *Le Figaro* l'interrogea à ce propos le lendemain, mais Martin, à ma surprise, démentit avec force cette rumeur. Il alla même jusqu'à accabler le roman lui-même. Il n'aurait jamais écrit ce livre, qu'il jugeait souvent ambigu, parfois inquiétant, toujours mauvais, tragiquement mauvais. Sa réponse était admirable. Car la fermeté et la méchanceté avec lesquelles il s'était exprimé eurent pour effet de convaincre ceux qui doutaient encore de sa responsa-bilité : c'était en quelque sorte la manière la plus sub-tile de se démasquer.

Je me souviens avoir alors pensé à Voltaire et à son *Dictionnaire philosophique*. La référence était un peu généreuse, mais la situation restait comparable. Le jeu, pour Voltaire, consistait, à partir de 1764, à dénier avec véhémence toute paternité dans cet ouvrage et à le dénoncer parallèlement comme « diabolique », « abominable », « antichrétien », « infernal », « œuvre de Satan ». Dans certaines lettres, il attribuait le *Dic-tionnaire* à un nommé Debu, des Buttes, Desbuttes ou Dubut qui, selon les cas, était un vieillard, un apprenti prêtre ou un jeune huguenot parent d'un ancien jé-suite. Dans d'autres lettres, il s'avouait l'auteur des ar-ticles non théologiques, attribuant cette fois les plus scabreux à des auteurs divers, collaborateurs de l'*En-cyclopédie* (Dumarsais, Boulanger), pasteurs genevois

(Abauzit, Polier de Bottens), écrivains anglais (Middleton, Warburton), tous morts ou ne vivant pas en France. C'est ainsi qu'il devint le plus célèbre non-auteur d'Europe.

Pourquoi Martin jouait-il à ce jeu-là ? Sans doute y avait-il un peu de ce plaisir à frapper en cachant sa main. Mais il me semble que ces esquives s'expliquaient surtout par la prudence, et même la peur. Mais la peur de quoi ? À l'époque, Voltaire était installé à Ferney, à deux pas de la frontière suisse, sur son fief qui, disait-il, ne relevait pas du roi de France. Pour Martin, la situation était différente. Et ce fut d'ailleurs son identité suisse, transposée sur celle de son personnage principal, qui le rendit suspect. En tout cas, après l'article du *Figaro*, plus personne ne douta qu'il fût l'auteur de *La Fascination du pire*, et c'est à partir de là que tous les ennuis commencèrent pour lui.

Plusieurs journaux publièrent de très courts extraits et des citations décontextualisées pour alimenter le débat – ce qui suffit à condamner le roman à mort. La médiatisation fonctionne toujours comme un piège pour la littérature. On pouvait lire ici ou là les passages incriminés ou posant problème, transformant ainsi le livre en un simple corps de délit. *Le Point* fit un dossier sur « La nouvelle islamophobie » et prit comme angle non plus le livre, mais Martin Millet lui-même. « Faut-il tolérer l'intolérance ? » demanda avec sagacité un journaliste du *Nouvel Obs*. Selon lui, la liberté d'expression était devenue le paravent confortable des relents de la haine. Dans *Le Monde* du 3 octobre, Boubakeur fit un long article dans lequel Martin était accusé directement de racisme. Le recteur de la Grande Mosquée oublia complètement qu'il s'agissait d'un « roman ». Ce qui était écrit résumait exactement la pensée de l'auteur, sinon il ne l'aurait pas écrit : voilà, en somme, quel était son raisonnement. Plusieurs phrases de son article laissaient même clairement entendre que le texte incitait à la haine raciale. Le lendemain, à la radio, Martin répondit qu'on pouvait tout à fait exprimer des réserves sur la valeur positive d'une religion sans pour autant inciter à la « haine raciale ». Il rappela brièvement qu'une religion était avant tout un système d'explication du monde et qu'à cet égard, condamner l'une d'entre elles était un acte philosophique qui n'avait par définition rien à voir avec ceux qui y adhéraient. Parler de racisme dans son cas relevait d'un amalgame pur et simple et ne pouvait être le fait que de crétins en puissance et de croisés simplificateurs dramatiquement cons... (On sentait à sa voix qu'il était nerveux et qu'il pouvait facilement déraper.) Il insista beaucoup sur un point : pour lui, l'islam devait apprendre à être critiqué à tort ou à raison comme n'importe quelle autre religion.

En librairie, le livre était un succès, ce qui compliqua encore la situation. On soupçonna l'auteur d'avoir gribouillé deux-trois lignes contre l'islam dans l'unique intention de faire un scandale et de vendre son illisible livre. Un autre article, cette fois dans *Libération*, signé d'un type que j'avais déjà repéré pour sa bêtise, alla encore plus loin dans ce travail de confusion et de délation. Il parlait de la conduite « inacceptable de certains Occidentaux dans les pays pauvres » et assurait, sans l'avoir apparemment lu, que *La Fascination du pire* témoignait d'un mépris à l'égard des femmes, des enfants, des Arabes et des animaux, y compris des espèces en voie de disparition, et qu'on ne pouvait que s'indigner devant ces « relents néocolonialistes ». En émoi, la Ligue islamique mondiale, la Fédération nationale des musulmans de France, l'Association rituelle de la grande mosquée de Lyon attaquèrent officiellement Martin Millet et son éditeur pour « provocation à la discrimination, à la haine ou à la violence et injure envers un groupe de personnes en raison de leur appartenance à une religion déterminée, en l'espèce, l'islam ». La S.P.A. s'ajouta à la liste des plaignants à cause de propos ambigus, voire légèrement méchants, tenus par le personnage principal (sans doute l'auteur) à propos des perroquets, ce qui est inadmissible.

Martin fut invité sur différents plateaux de télé pour s'expliquer. On lui demanda clairement s'il avait écrit ce livre dans l'intention de faire un scandale, voire d'obtenir une fatwa. Martin répondit en plaisantant qu'on ne pouvait pas lancer une fatwa contre un non-musulman et qu'il faudrait donc qu'il consente d'abord à se convertir, ce qu'il ne projetait pas de faire dans l'immédiat. Il était contre toute forme de religion. Sur le plateau, une femme sortie d'on ne sait où expliqua, les larmes aux yeux, que le Coran était un très beau livre et qu'elle ne comprenait pas comment on pouvait tolérer que s'ajoutent à l'horreur de la situation internationale des récits si répugnants. Dans la salle, le public l'applaudit avec enthousiasme. J'ai alors pensé à cette phrase que j'avais lue, quelques jours auparavant, dans un essai formidable : *Les maudits du XIXe siècle l'étaient par l'ombre et le silence. Ceux d'aujourd'hui le seraient-ils par la lumière et le bruit ?*

Heureusement, certains intellectuels prirent la défense de Martin. Une pétition circula : elle insistait sur l'importance de la laïcité, sur l'immunité de la fiction et sur la régression que représenterait le rétablissement implicite du délit de blasphème. Elle rappela par ailleurs que l'on pouvait admirer un écrivain sans pour autant le suivre dans toutes ses phobies. La liste d'exemples était longue. Et pour ne rien sacrifier à l'ignorance, on cita quelques extraits de Montaigne (qui voyait en Mahomet un de ces « moqueurs qui se plient à notre bêtise pour nous emmieller et attirer ») et de Pascal (qui jugeait « ridicules » les passages du Coran qui n'étaient pas « obscurs »). Indignées, certaines associations voulurent attaquer ces deux auteurs, mais durent y renoncer après s'être renseignées ; en effet, ils étaient morts depuis longtemps.

Dominique Noguez écrivit un article dénonçant la « rage de ne pas lire ». Effectivement, plus personne ne doutait de ce que colportaient les quelques journalistes pressés, trop heureux de tenir un vrai petit scandale pour se donner la peine de réfléchir aux accusations qu'ils portaient. Plus personne ne doutait : Martin avait écrit un roman infect dans lequel l'islam était odieusement attaqué. Le texte n'avait plus aucune importance. On ne s'y référait plus du tout. Il n'existait plus.

Personnellement, je n'aimais pas beaucoup ce livre, mais j'étais forcé d'admettre que toutes les critiques qu'on lui faisait n'étaient pas recevables et témoignaient sans doute, oui, d'une rage de ne pas lire ce qui était vraiment écrit. Le débat se perdait dans la plus grande confusion. Dans le vacarme, on commençait à comprendre qu'un romancier ne pouvait plus aborder le sujet si sensible de l'islam sans prendre des précautions insensées. Il fallait ménager les susceptibilités. Se censurer gentiment pour ne pas se voir accusé des choses les plus grotesques. Tout cela annonçait, d'une certaine façon, la *mort de la fiction*. En d'autres lieux, cela se serait tout simplement appelé : l'exercice d'une terreur.

À la fin du mois d'octobre, contre toute attente, je reçus un coup de fil de Martin. Je mis un certain temps à reconnaître sa voix, et je crus d'abord à une blague. Il avait l'air très inquiet. Il me demanda comment j'allais et m'expliqua, sans même attendre ma réponse, qu'il était dans une situation terrifiante. L'ambiance médiatique de lynchage l'avait complètement fragilisé. Surtout, il recevait tous les jours des menaces. Notamment des messages en arabe sur son répondeur ou sur son mail dont on devinait facilement, même sans traducteur, ce qu'ils voulaient dire.

— C'est uniquement pour te faire peur, lui dis-je sans faire trop attention à ce qu'il me racontait.

— Peut-être pas…

Sa voix était saccadée. Je ne savais pas quoi en penser. Risquait-il vraiment quelque chose ? J'avais le sentiment qu'il exagérait. Après tout, son roman n'était pas suffisamment important pour lui faire encourir un danger physique. Il semblait penser le contraire. Depuis plusieurs jours, il ne sortait plus de chez lui. Il prévoyait de partir bientôt à l'étranger, sans doute en Italie. Attendre que la poussière retombe au sol, disait-il. C'était peut-être une bonne idée. Je n'en savais rien. Mais d'ici là, il espérait une protection policière. Plusieurs fois dans la semaine, on avait sonné chez lui avec une « insistance meurtrière ». On avait aussi déposé dans sa boîte aux lettres des messages d'insultes et de menaces. La première balle sera pour moi, disait-il. La première balle sera pour moi.

J'avais le sentiment qu'il exagérait. « Et c'est d'autant plus horrible que je ne suis pas l'auteur de ce livre… » Même avec moi, il continuait sa stratégie de déni. Je le savais d'une nature excessive. Et la promotion d'un livre a souvent tendance, je le savais aussi, à accentuer les tendances paranoïaques. Selon moi, il ne fallait pas qu'il s'inquiète : ce n'était qu'un roman, et la violence qu'il ressentait ne lui était pas destinée, elle était celle que véhiculait la question compliquée de l'islam en France. « Tu sais, lui dis-je, la communauté musulmane française connaît déjà pas mal de souffrance avec tout ce qui se passe dans le monde... » Il me proposa de prendre un verre. Il voulait me parler de « certaines choses importantes ». J'acceptai, un peu perplexe, tout en me reprochant de ne pas être suffisamment désagréable avec lui. Après ce qui s'était passé. Parce que je devais m'absenter de Paris quelques jours, ce qui n'était pas vrai, on ne fixa le rendez-vous que quatre jours plus tard.

C'était un lundi. Le café s'appelait *L'Espérance*. Il me semble que j'étais à peu près à l'heure. Il n'y avait plus personne dans la salle du fond. Je n'avais en fait aucune idée de ce qu'il voulait me dire, et le fait d'être là, à l'attendre, avait pour moi quelque chose de très déplaisant. Je me suis souvenu de ce qu'il m'avait dit à propos d'une possible sécurité policière, et je l'ai imaginé entrer à *L'Espérance* avec deux gardes du corps. Ça aurait fait très Salman Rushdie. Mais il ne venait pas. En attendant, je m'en souviens, je relisais *L'Odyssée*. J'eus d'ailleurs le temps d'en lire trois Chants. Cela ne m'étonnait pas de sa part. Je n'avais pas son numéro. Je ne pouvais rien faire d'autre qu'attendre. Après un certain temps, je suis quand même rentré chez moi, plutôt furieux.

Jusqu'au lendemain, je n'eus aucune nouvelle de lui. Je me suis souvenu de sa disparition subite, au Caire, et je me suis dit qu'il devait faire ça régulièrement. Ce qui est étrange, maintenant que j'y repense, c'est à quel point je ne me suis douté de rien. Autant j'avais été irrationnellement inquiet, au Caire, lors de sa fausse disparition, succombant sans recul à ce que Lamia avait justement appelé « la fascination du pire », autant son absence à *L'Espérance* n'avait suscité en moi qu'une colère sans munition.

Ce ne fut que le mardi soir que je compris ce qui s'était passé. J'étais en train de travailler quand mon éditeur m'appela. Il y avait quelque chose d'inhabituel dans sa voix. En général, même quand il m'annonçait de mauvaises nouvelles, j'avais l'impression qu'il s'agissait de bonnes nouvelles : il était de ceux qui présentent toujours les choses de façon excessivement positive, au point de vous embrouiller complètement et de vous faire douter de la valeur même de ce qui est dit. Là, pourtant, le timbre de sa voix résonnait clairement comme l'annonce d'un drame. Il était arrivé quelque chose. On avait retrouvé le corps de Martin. Vraisemblablement, il avait été assassiné deux jours auparavant. Dans son appartement. Cela me sembla impossible. Irréel. Quoi ! Il avait simplement écrit un livre, rien de plus… Pour m'en convaincre, je suis allé acheter le journal. L'article du *Figaro* expliquait qu'on lui avait tiré une balle dans la tête. J'ai été pris d'un sentiment d'horreur. Un suspect avait été arrêté : un islamiste parmi d'autres, qui avoua son crime quelques jours plus tard, sans gêne, en précisant que la justice française avait plus d'une fois démontré qu'elle ne condamnait pas les ouvrages islamophobes et qu'il fallait s'attendre à partir de maintenant à ce qu'une autre justice, plus intransigeante, soit rendue de façon autonome et directe. La plupart des associations musulmanes condamnèrent cet acte ainsi que cette déclaration. Dans la presse, on commença à parler des passages du Coran incitant à l'extermination des infidèles, et notamment des Sourates V, IX et XLVII dont voici un extrait : *Lorsque vous rencontrez les incrédules, frappez-les à la nuque jusqu'à ce que vous les ayez abattus.*

On enterra Martin dix jours plus tard au cimetière du Montparnasse. Il faisait froid ce jour-là. On sentait déjà venir l'hiver. Et venir cet autre hiver en prévision duquel j'avais déjà de violents frissons. On compara la situation avec celle de Rushdie. En 1988, après la publication des *Versets sataniques*, l'imam Khomeyni avait condamné cet auteur à mort pour blasphème et avait envoyé des tueurs à gages à ses trousses. La condamnation avait finalement été levée. Pendant plus de dix ans, Rushdie avait vécu sous protection rapprochée en Angleterre, puis à New York. Je suis allé à l'enterrement de Martin. Lui n'avait pas eu la même chance. La première balle avait été pour lui.

Je me suis souvenu de ce que Kundera avait écrit au sujet de cet écrivain. Cette situation était unique dans l'Histoire et renvoyait à une confrontation fondamentale entre plusieurs époques : « Par son origine, Rushdie appartient à la société musulmane qui, en grande partie, est encore en train de vivre l'époque d'avant les Temps modernes. Il écrit son livre en Europe, à l'époque de Temps modernes ou, plus exactement, à la fin de cette époque. » De la même façon, ceux qui s'appliquent aujourd'hui à étouffer de leurs bons sentiments la liberté de la création, et qui sont malheureusement de plus en plus entendus, rejoignent par leurs préoccupations l'obscurantisme d'avant le triomphe de la raison. Pour Kundera, le roman est par essence l'œuvre de l'Europe. Encore une fois, quand il dit « roman européen », il ne parle pas de ce qui a été créé en Europe par des Européens, mais de ce qui fait littérairement partie d'une histoire qui a commencé à l'aube des Temps modernes en Europe. Or il se trouve que cet art européen est par définition incompatible avec tout esprit religieux : car il est profanation par essence. Le roman est ce qui rend insaisissable tout ce qu'il touche et qui renvoie ainsi à l'ambiguïté morale de l'homme et à la relativité fondamentale des choses. Ceux qui pensent détenir la vérité et n'admettent pas la contestation sont donc directement menacés par l'art du roman. Aussi ont-ils cruellement intérêt à le détruire. Avec Rushdie, c'est l'art du roman en tant que tel que l'imam voulait abattre. Avec Martin Millet, c'est bien la fiction elle-même qui a été visée. Et il est assez étonnant de constater que l'Europe a tant de mal à défendre l'art le plus européen, c'est-à-dire à défendre sa propre culture. On se contente d'une petite pétition, et l'on rentre chez soi. Lâcheté de l'aumône : oui, on donne deux pièces et on passe son chemin. Et puis la peur.

Ce jour-là, il n'y avait pratiquement personne dans le cimetière du Montparnasse. L'Europe n'était pas émue outre mesure alors que son art par excellence venait d'être condamné à mort. L'ambiance était désastreuse. On se serra la main. On grelottait. Chacun crachait de la fumée en expirant. On avait envie d'oublier et de passer à autre chose. Oui, l'ambiance était désastreuse parce qu'elle évoquait pour nous tous, je crois, ces bûchers allumés par des générations d'abrutis et qui avaient fait la vie dure à ceux qui constituent aujourd'hui les fondements de notre culture. Où sont passés les hommes puissants de cette même époque, les cardinal du Bellay, cardinal Odet, les François Ier, qui assuraient leur protection aux écrivains pourchassés ? « Mais l'Europe est-elle encore l'Europe ? C'est-à-dire la société du roman ? Autrement dit : se trouve-t-elle encore à l'époque des Temps modernes ? N'est-elle pas déjà en train d'entrer dans une autre époque qui n'a pas encore de nom et pour laquelle ses arts n'ont plus beaucoup d'importance ? » Voilà, entre autres, les questions que je me posais en sortant du cimetière du Montparnasse.

P.-S. : Est-il utile de préciser que je réfute entière-ment les rumeurs qui ont été diffusées dans les mois suivants et qui ont prétendu que j'étais l'auteur vérita-ble de *La Fascination du pire* ? Je rappelle à tous ceux qui colportent ces insinuations que Martin Millet a implicitement reconnu avoir signé ce livre et que je ne me serais pas amusé à laisser dans le texte des indices permettant de l'identifier à tort. Je n'ai jamais souhaité de mal à Martin Millet, et je ne suis pas un assassin.

Table des chapitres

8080

Composition Nord Compo
Achevé d'imprimer en France (Manchecourt)
par Maury-Eurolivres le 20 octobre 2006.
Dépôt légal octobre 2006. ISBN 2-290-34838-4
1ᵉʳ dépôt légal dans la collection : juillet 2006

Éditions J'ai lu
87, quai Panhard-et-Levassor, 75013 Paris
Diffusion France et étranger : Flammarion